MÉTODOS DE DISSECAÇÃO

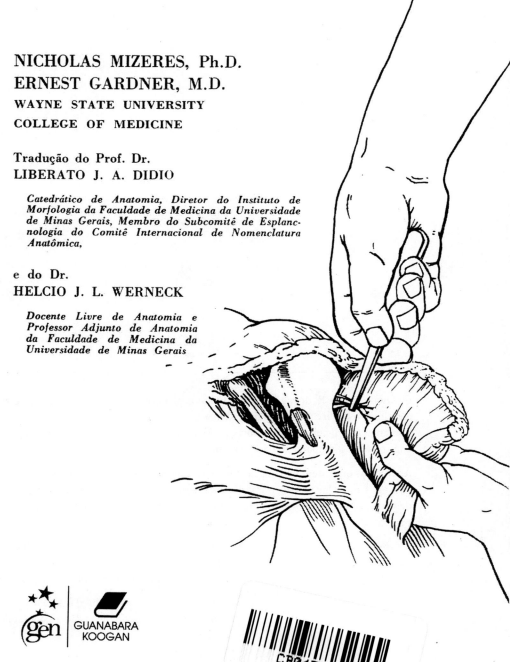

NICHOLAS MIZERES, Ph.D.
ERNEST GARDNER, M.D.
WAYNE STATE UNIVERSITY
COLLEGE OF MEDICINE

Tradução do Prof. Dr.
LIBERATO J. A. DIDIO

Catedrático de Anatomia, Diretor do Instituto de Morfologia da Faculdade de Medicina da Universidade de Minas Gerais, Membro do Subcomitê de Esplancnologia do Comitê Internacional de Nomenclatura Anatômica,

e do Dr.
HELCIO J. L. WERNECK

Docente Livre de Anatomia e Professor Adjunto de Anatomia da Faculdade de Medicina da Universidade de Minas Gerais

gen | GUANABARA KOOGAN

O GEN | Grupo Editorial Nacional – maior plataforma editorial brasileira no segmento científico, técnico e profissional – publica conteúdos nas áreas de ciências da saúde, exatas, humanas, jurídicas e sociais aplicadas, além de prover serviços direcionados à educação continuada e à preparação para concursos.

As editoras que integram o GEN, das mais respeitadas no mercado editorial, construíram catálogos inigualáveis, com obras decisivas para a formação acadêmica e o aperfeiçoamento de várias gerações de profissionais e estudantes, tendo se tornado sinônimo de qualidade e seriedade.

A missão do GEN e dos núcleos de conteúdo que o compõem é prover a melhor informação científica e distribuí-la de maneira flexível e conveniente, a preços justos, gerando benefícios e servindo a autores, docentes, livreiros, funcionários, colaboradores e acionistas.

Nosso comportamento ético incondicional e nossa responsabilidade social e ambiental são reforçados pela natureza educacional de nossa atividade e dão sustentabilidade ao crescimento contínuo e à rentabilidade do grupo.

MÉTODOS DE DISSECAÇÃO

- Os autores deste livro e a editora empenharam seus melhores esforços para assegurar que as informações e os procedimentos apresentados no texto estejam em acordo com os padrões aceitos à época da publicação. Entretanto, tendo em conta a evolução das ciências, as atualizações legislativas, as mudanças regulamentares governamentais e o constante fluxo de novas informações sobre os temas que constam do livro, recomendamos enfaticamente que os leitores consultem sempre outras fontes fidedignas, de modo a se certificarem de que as informações contidas no texto estão corretas e de que não houve alterações nas recomendações ou na legislação regulamentadora.

- Os autores e a editora se empenharam para citar adequadamente e dar o devido crédito a todos os detentores de direitos autorais de qualquer material utilizado neste livro, dispondo-se a possíveis acertos posteriores caso, inadvertida e involuntariamente, a identificação de algum deles tenha sido omitida.

- **Atendimento ao cliente: (11) 5080-0751 | faleconosco@grupogen.com.br**

- Direitos exclusivos para a língua portuguesa
  Copyright © 1988 by
  Editora Guanabara Koogan Ltda.
  Uma editora integrante do GEN | Grupo Editorial Nacional
  Travessa do Ouvidor, 11
  Rio de Janeiro – RJ – CEP 20040-040
  www.grupogen.com.br

- Reservados todos os direitos. É proibida a duplicação ou reprodução deste volume, no todo ou em parte, em quaisquer formas ou por quaisquer meios (eletrônico, mecânico, gravação, fotocópia, distribuição pela Internet ou outros), sem permissão, por escrito, da Editora Guanabara Koogan Ltda.

CIP-BRASIL. CATALOGAÇÃO NA FONTE
SINDICATO NACIONAL DOS EDITORES DE LIVROS

M681m

Mizeres, Nicholas James, 1915-
Métodos de dissecação / Nicholas Mizeres, Ernest Gardner; tradução Liberato J. A. Didio, Helcio J. L., Werneck. - [Reimpr.]. - Rio de Janeiro : Guanabara Koogan, 2022.
il.

Tradução de: Methods of dissection.
ISBN 978-85-226-0014-4

1. Dissecação humana. I. Gardner, Ernest Dean, 1915-. III. Título.

08.3631 CDD: 611.072
CDU: 611

© 1963 by W. B. Saunders Company. Copyright under the International Copyright Union. All rights reserved. This book is protected by copyright. No part of it may be duplicated or reproduced in any manner without written permission from the publisher. Made in the United States of America. Press of W. B. Saunders Company. Library of Congress catalog card number: 63-14510

PREFÁCIO

Um estudante deve ter a seu dispor o guia e as facilidades que o habilitem a praticar eficientemente os processos de laboratório e, assim, ganhar mais tempo para a matéria do curso. Nós cremos que, em Anatomia Macroscópica, estas metas possam ser alcançadas, pelo menos em parte, fornecendo ao estudante um manual claro e conciso no qual, sempre que possível, os processos de dissecação sejam mostrados gràficamente. Deve ser um manual de "como fazer" e não uma versão de bôlso dum Compêndio ou dum Atlas. Nós esperamos que o guia "Métodos de Dissecação" satisfaça essas necessidades.

Nossa seqüência das dissecações se inicia com o Membro Superior, seguido do Dorso, do Tórax, do Abdome e da Pelve. Nós acreditamos que, com esta seqüência, o estudante adquire experiência dissecando, de início, bem definidos músculos, vasos, nervos e articulações, confere logo continuidade com o tronco e, por fim, faz seguir um processo lógico ao dissecar o tronco de cima para baixo. Não há importância se a Cabeça e o Pescoço ou o Membro Inferior forem dissecados imediatamente após a Pelve. O que importa é que o estudante não comece com a Cabeça e o Pescoço até que êle seja suficientemente experiente para dissecar estas difíceis regiões e que sua dissecação preceda ou seja simultânea ao estudo da Neuranatomia

Cada seção numerada em "Métodos de Dissecação" representa cêrca de 3 horas de trabalho, com 4 alunos estudando num cadáver. Uma seção com 2 números combinados representa cêrca de 6 horas de dissecação, sem uma interrupção nítida entre os períodos de laboratório.

Somos gratos pelo auxílio e pela crítica a muitos de nossos estudantes, especialmente, James Greenwood, Kenneth Lerner, Melvin Rosen, Alan Scher e Donald Temple.

Agradecemos à Srita. Kathryn Murphy e a Sra. Geraldine Fockler, do Departamento de Ilustração Médica, pela preparação das figuras.

Desejamos agradecer à W. B. Saunders Company pela cooperação e pelas muitas atenções que nos dispensaram.

NICHOLAS MIZERES
ERNEST GARDNER

ÍNDICE

INTRODUÇÃO.. 1

MEMBRO SUPERIOR... 4

    Cútis e Nervos Cutâneos 4
    Axila 13
    Ombro 15
    Braço 16
    Fossa do Cotovelo 17
    Região Anterior do Antebraço 18
    Região Posterior do Antebraço 19
    Palma da Mão 19
    Dorso da Mão 21
    Articulação do Ombro 22
    Articulação do Cotovêlo 23
    Articulação da Mão 24

DORSO E MEDULA ESPINHAL.................................... 26

    Músculos Superficiais e Fáscia Tóracolombar........... 26
    Músculos Profundos 28
    Articulações e Conteúdo do Canal Vertebral 28

TÓRAX 31

    Caixa Torácica 31
    Pleuras e Pulmões 35
    Vasos e Nervos do Tórax 35
    Coração e Grandes Vasos 36

ABDOME ... 39

Parede Abdominal e Região Inguinal ... 39
Peritoneu ... 41
Vias biliares e Estômago ... 44
Intestinos ... 44
Fígado, Pâncreas, Duodeno e Baço ... 45
Rins e Glândulas Supra-renais ... 49
Plexo Lombar ... 50

PELVE E PERÍNEO ... 51

Região Glutea ... 51
Região Anal ... 52
Região Urogenital ... 53
Secção Mediana da Pelve ... 56
Órgãos Pelvinos e Estruturas Associadas ... 58

CABEÇA E PESCOÇO ... 60

Couro Cabeludo, Meninges, Encéfalo e Nervos Crânicos ... 60
Trígonos Anterior e Posterior ... 73
Face e Região Parotídica ... 75
Desarticulação das Articulações Atlanto-Axiais e Secção Mediana da Cabeça e do Pescoço ... 76
Trígonos Submandibular e Carótico ... 80
Faringe, Laringe e Vasos e Nervos do Pescoço ... 81
Fossa Infratemporal ... 82
Cavidade Nasal, Fossa Ptérigopalatina e Palato mole ... 85
Órbita e Ôlho ... 87
Orelha ... 88

MEMBRO INFERIOR ... 89

Vasos e Nervos Superficiais ... 89
Região Anterior da Coxa ... 90
Região Medial da Coxa ... 91
Região Posterior da Coxa ... 91
Fossa Poplítea ... 91
Região Anterior da Perna e Dorso do Pé ... 92
Regiões Laterais e Posterior da Perna ... 92
Planta do Pé ... 93
Articulações Sacro-ílica e do Quadril ... 93
Articulação do Joelho ... 95
Articulações do Tornozelo e do Pé ... 95

INTRODUÇÃO

Estude a parte correspondente do esqueleto antes de começar a dissecação duma região. Use bons instrumentos, saiba o que vai dissecar e saiba o que acabou de dissecar.

A dissecação começa pela retirada da cútis, que deve ser demonstrada por um instrutor. Quando a remoção da cútis é feita corretamente, o aspecto profundo da cútis deve ser branco, marcado com numerosas depressões e livre de gordura (fig. 1).

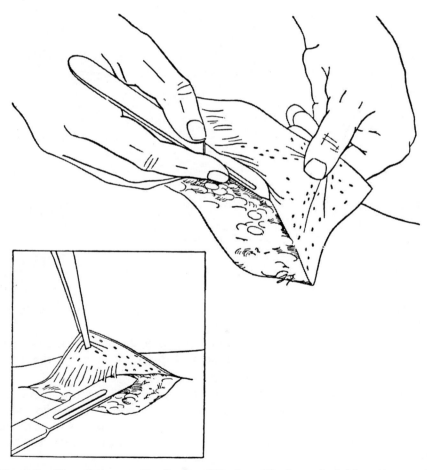

Figura 1. Em cima, a retirada da cútis é realizada, principalmente, por uma raspagem, mantendo-se a margem cortante da lâmina do bisturi em ângulo contra a face profunda do cório. Embaixo, a retirada da cútis é realizada, principalmente, pela secção, com a margem cortante da lâmina do bisturi sendo mais ou menos paralela à face profunda do cório.

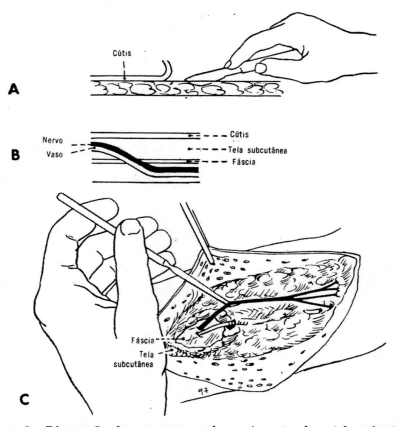

Figura 2. Dissecação de um nervo cutâneo. *A*, cortando a tela subcutânea. *B*, Diagrama mostrando, em perfil, o nervo e o vaso que perfuram a fáscia e entram na tela subcutânea. *C*, Um nervo cutâneo (seguro por uma alça) e um vaso satélite, à medida que decorrem na tela subcutânea.

Um nervo cutâneo é dissecado localizando-o na tela subcutânea (fig. 2) e acompanhando-o, proximalmente, até sua emergência através da fáscia e, distalmente, até sua terminação.

Disseca-se um músculo removendo a gordura e a fáscia ao seu redor e, em geral, também, o epimísio (fig. 3), de modo a demonstrar a origem, a inserção, a irrigação e a inervação.

Os vasos sangüíneos e os nervos são dissecados removendo a fáscia, a gordura e o tecido conetivo ao seu redor. Os nervos são mais importantes do que as artérias e estas mais do que as veias. Remova quaisquer veias que interfiram com a demonstração adequada dos nervos e das artérias.

Cada órgão, como o coração, exige, geralmente, um método especial para sua dissecação. O encéfalo é, muitas vêzes, removido e dissecado em neuranatomia. Contudo, se possível, o encéfalo deve ser estudado *in situ*. O método aqui descrito assegura especial visualização do encéfalo, suas relações e sua irrigação.

Introdução 3

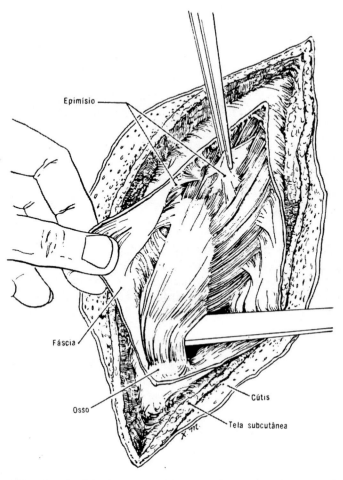

Figura 3. As camadas teciduais e fasciais que são removidas ao se dissecar um músculo (neste caso, o *triceps brachii*).

Cada região requer uma via de acesso destinada a facilitar a dissecação de suas partes. A cabeça e o pescoço apresentam especiais dificuldades porque contêm um número relativamente grande de estruturas importantes, e um acesso mal orientado pode embaraçar o estudante. A desarticulação das articulações atlanto-axiais e atlanto-occipital, descrita neste guia, seguida duma secção mediana da cabeça e do pescoço, permite, a nosso ver, o melhor acesso a muitas das formações cefálicas e cervicais.

O tempo necessário para dissecar uma região (4 estudantes para um cadáver) é subdividido em períodos de cêrca de 3 horas cada (indicados por números). Em alguns casos um processo ou uma seqüência de dissecação está descrito para 2 períodos de laboratório (indicado por 2 números).

MEMBRO SUPERIOR

CÚTIS E NERVOS CUTÂNEOS

1. Com um lápis dermográfico, trace as linhas de incisão indicadas nas figs. 4 a 7. Remova a cútis, exceto do antebraço e da mão. Em cadáveres femininos, faça uma incisão ao redor da papila da mama. Na mama feminina, remova cuidadosamente o tecido conetivo interlobar de modo a mostrar a disposição radial dos *lobos, ductos* e *seios lactíferos* (fig. 8).

Membro Superior

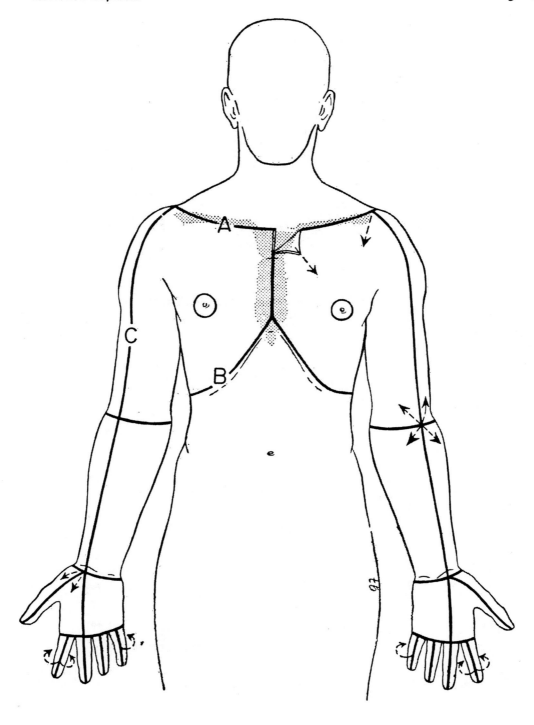

Figura 4. Linhas de incisão, vista anterior. O esterno e as clavículas são indicados pelo pontilhado. As linhas de incisão são indicadas por letras de modo a facilitar a comparação com as figuras 5 e 6. A linha *B* segue, aproximadamente, a margem costal. As setas indicam onde a remoção da cútis deve começar e a direção na qual deve ser retirada.

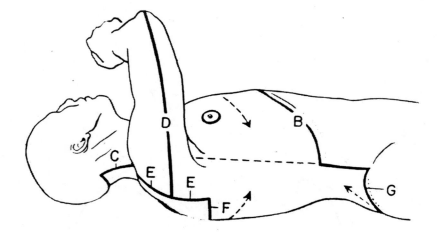

Figura 5. Linhas de incisão, vista lateral.

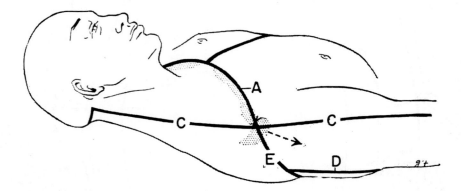

Figura 6. Linhas de incisão, vista lateral. As clavículas e o acrômio são indicados pelo pontilhado.

Membro Superior

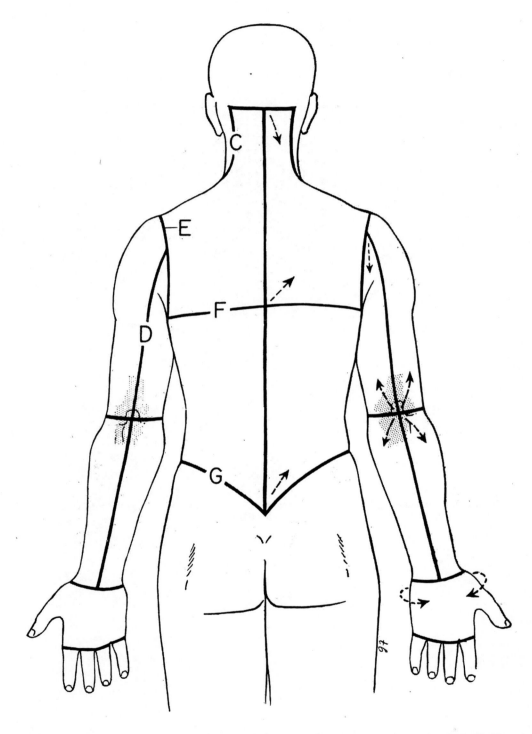

Figura 7. Linhas de incisão, vista posterior. A articulação do cotovêlo é indicada pelo pontilhado.

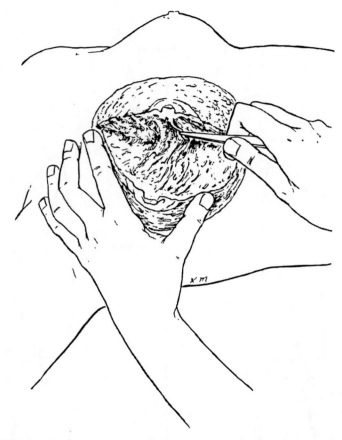

Figura 8. Dissecação da mama feminina. A pinça está agarrando um ducto lactífero.

Membro Superior

2. Faça uma incisão mediana na tela subcutânea anterior ao esterno. Rebata esta tela lateralmente e, com um estilete e uma pinça, encontre os *ramos cutâneos anteriores dos nervos intercostais* e os vasos que os acompanham, emergindo dos espaços intercostais, próximo ao esterno (fig 9). Mais lateralmente, ainda, encontre o *nervo intercostobraquial,* os ramos anteriores e posterior dos *ramos cutâneos laterais dos nervos intercostais* (fig. 10), que emergem entre as fitas dos músculos peitoral maior e serrátil anterior. Procure as *veias tóraco--epigástricas* dirigindo-se superiormente para a axila. Estas veias são, freqüentemente, pequenas e difíceis de encontrar. Localize os *nervos supraclaviculares* abaixo da clavícula e acompanhe-os, superiormente, na frente da clavícula. Poucos fascículos do *platisma* podem ser encontrados na tela subcutânea, superficialmente aos nervos supraclaviculares, até o nível da 2ª costela. Disseque os nervos supraclaviculares, deixe curtos segmentos de cada um dêles e remova completamente a tela subcutânea.

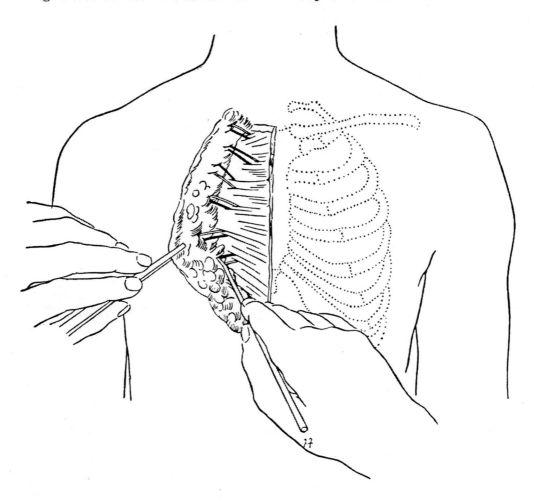

Figura 9. Ramos cutâneos anteriores dos nervos intercostais e os ramos perfurantes da artéria torácica interna emergindo na tela subcutânea.

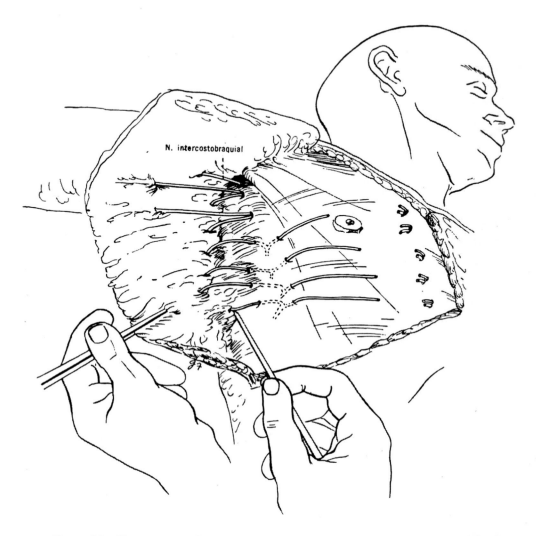

Figura 10. Ramos anteriores e posteriores dos ramos cutâneos laterais dos nervos intercostais. Neste processo, geralmente, se encontram os ramos anteriores dos nervos superiores correndo no retalho rebatido da tela subcutânea.

3. Localize a *veia cefálica* e acompanhe-a superiormente no sulco deltopeitoral. Localize e conserve quaisquer artérias que acompanhem a veia entre os dois músculos. Procure os linfonódios deltopeitorais ao longo do seu trajeto. Localize a *veia basílica* e acompanhe-a superiormente até onde ela se aprofunda, através da fáscia. Determine a disposição das comunicações entre as veias cefálica e basílica. Disseque os *nervos cutâneos medial, posterior* e *lateral* do *braço* e os *cutâneos medial* e *posterior* do *antebraço* (figs. 11 e 12). Acompanhe os dois últimos nervos sòmente até o nível da articulação do cotovêlo. Remova a tela subcutânea de modo a demonstrar a *fáscia axilar* e a *braquial*.

Membro Superior

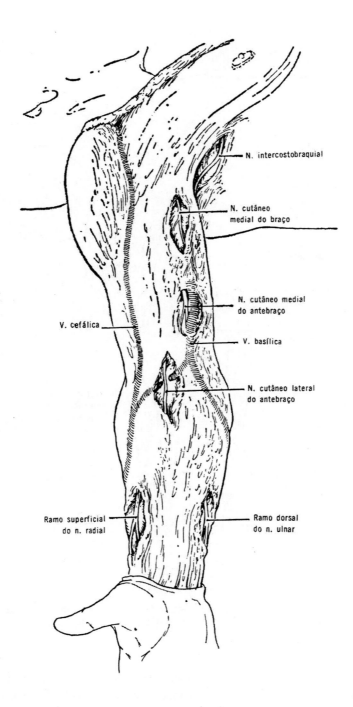

Figura 11. Áreas nas quais devem ser feitas as incisões na tela subcutânea a fim de localizar e dissecar os nervos cutâneos. Vista anterior.

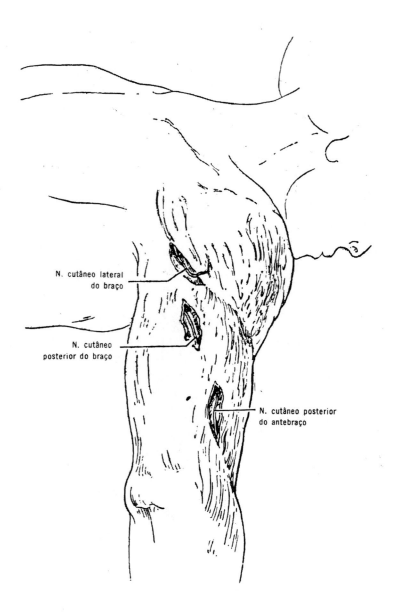

Figura 12. Áreas em que devem ser feitas incisões na tela subcutânea a fim de localizar e dissecar os nervos cutâneos. Vista pósterolateral.

Coloque o cadáver em decúbito ventral. Faça uma incisão na tela subcutânea do dorso e do pescoço. Rebata a tela lateralmente, localize e disseque os ramos cutâneos dos *ramos dorsais dos nervos espinhais cervicais e torácicos*. Pode ser mais fácil completar a dissecação dos nervos cutâneos do braço quando o cadáver está em decúbito ventral.

Membro Superior

AXILA

4.   Disseque o *peitoral maior*. A seguir, seccione sua porção esternocostal, a cêrca de um dedo transverso da sua origem, e rebata-a lateralmente. Inicialmente disseque e, depois, corte os ramos dos *nervos peitorais mediais* que penetram pela sua face profunda (após perfurar o músculo peitoral menor). A seguir, disseque os *nervos peitorais laterais* que penetram pela face profunda da porção clavicular do músculo. Seccione êstes nervos e, a seguir, corte esta porção do músculo a um dedo transverso, aproximadamente, da clavícula. Rebata o músculo em direção ao úmero de modo a expor o *peitoral menor* e a *fáscia clavipeitoral* subjacentes, cujas origens devem ser agora verificadas. Identifique os vasos e nervos que perfuram esta fáscia, identifique a membrana (ligamento) costocoracóidea e note sua relação com o *músculo subclávio*.

Com o braço aduzido, note o nervo intercostobraquial estirado através da base da axila. Procure um eventual *arco axilar* e outras variações musculares. Procure os *linfonódios peitorais* ao nível da borda inferior do peitoral menor. Retire a fáscia clavipeitoral e disseque o *peitoral menor*. Seccione-o a um dedo transverso, aproximadamente, da sua origem e rebata-o em direção ao processo coracóide, deixando intata sua inervação.

Disseque o *grande dorsal* (sòmente a porção relacionada com a axila), com o *nervo tóracodorsal* e a *artéria tóracodorsal,* que penetram pela face medial do músculo.

Continue a remover o tecido frouxo das paredes da axila. Ao mesmo tempo, acompanhe a artéria tóracodorsal até a *artéria subescapular,* ao longo da qual devem ser procurados os *linfonódios subescapulares.* Procure, também, os *linfonódios centrais* na base da axila. Disseque o *serrátil anterior* e o *nervo torácico longo.* Se as *veias tóracoepigástricas* tiverem sido já encontradas, acompanhe-as até a *veia torácica lateral.* A origem da artéria tóracodorsal marca a divisão da artéria subescapular nas artérias tóracodorsal e circunflexa da escápula. Identifique o *espaço triangular e acompanhe* nele a *artéria circunflexa* da *escápula.*

5 e 6.   Identifique e disseque o *córacobraquial* e a *porção curta* do *bíceps,* lateralmente ao feixe neurovascular. Disseque êste feixe, que consiste da bainha axilar envolvendo os *vasos axilares* e o *plexo braquial,* como se segue (fig. 13): Localize o *nervo musculocutâneo* (é o nervo mais lateral e perfura o córacobraquial) e acompanhe-o superiormente até o *fascículo lateral.* Acompanhe o outro ramo terminal dêste fascículo até o *nervo mediano.* A parte restante do nervo mediano origina-se do *fascículo medial.* Os outros três ramos do fascículo medial, pela ordem decrescente de tamanho, são o *nervo ulnar,* o *nervo cutâneo medial do antebraço* e o *nervo cutâneo medial do braço.*

Disseque os vasos axilares e complete a dissecação de seus ramos. Procure os *linfonódios laterais,* posteriormente à veia axilar,

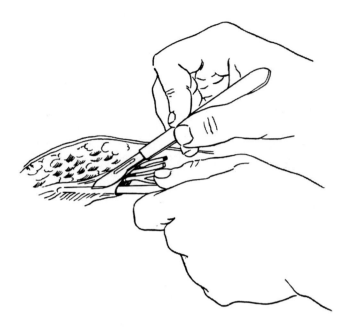

Figura 13. Cortando uma bainha neurovascular. Note que o corte é feito sôbre uma tentacânula para evitar lesões nas estruturas dentro da bainha.

abaixo do nível do peitoral menor, e os *linfonódios apicais,* medialmente à veia, acima do nível do peitoral menor. Remova tôdas as veias exceto a axilar. Mesmo que os linfonódios não possam ser encontrados, sua distribuição e drenagem devem ser aprendidas, sendo particularmente importante o conhecimento da drenagem linfática da mama.

Afaste para um lado os vasos e os fascículos medial e lateral para localizar o fascículo posterior (o maior dos três). Disseque os *nervos subescapulares superior* e *inferior* para o subescapular e o redondo maior. A fáscia que cobre o subescapular deve ser incisada a fim de completar a dissecação do suprimento nervoso do músculo. Disseque os *nervos axilar* e *radial.* Siga o nervo axilar e a artéria circunflexa posterior do úmero até o *espaço quadrangular.* Localize o ramo articular do nervo axilar. Siga o nervo radial até a borda inferior do grande dorsal e localize a origem do nervo cutâneo posterior do braço e o ramo para a porção longa do tríceps (ambos os nervos nascem na axila). Ao remover o tecido conetivo ao redor do nervo radial e dos seus ramos, assegure-se de preservar a *artéria profunda do braço,* que acompanha o nervo radial no braço.

Membro Superior

OMBRO

7. Disseque o *deltóide*. Use os dedos para libertar seu ventre do úmero. Localize o nervo axilar e a *artéria circunflexa posterior do úmero*. A seguir, corte transversalmente o ventre do deltóide (fig. 14), de modo que os vasos e o nervo fiquem intatos com a parte inferior do músculo. Localize os tendões de inserção dos *músculos subescapular, infraspinhal* e *redondo menor*. Abra a *bôlsa subdeltoídea* e localize o tendão do *supraspinhal*, que forma o soalho da bôlsa. O restante do tendão do *supraspinhal* é escondido pelo *ligamento córaco-acromial*.

Coloque o corpo em decúbito ventral e disseque, no que fôr acessível, o *trapézio* e o *grande dorsal*. A seguir, corte o trapézio, tanto quanto necessário, para localizar o *levantador da escápula*, o *rombóide maior* e o *rombóide menor*. Corte os rombóides nas suas origens espinhais de modo a expor a face profunda do serrátil anterior e sua inserção na borda vertebral. Disseque o *nervo dorsal da escápula* e o *ramo profundo da artéria transversa do pescoço* (ou a *artéria escapular descendente*). O nervo e a artéria devem ser localizados perto do ângulo

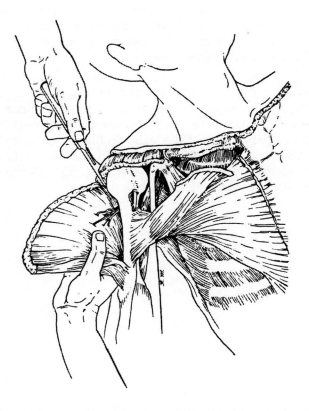

Figura 14. Secção e rebatimento do deltóide. Tendo iniciado a secção usando a mão direita, a complementação da secção é facilitada mudando-se o bisturí para a mão esquerda.

da escápula ao passarem profundamente ao levantador da escápula e, a seguir, seguidos ao passarem profundamente aos rombóides. O plano entre os rombóides maior e menor pode ser indicado pela emergência de ramos da artéria que irriga o trapézio.

BRAÇO

8. Remova a fáscia dos músculos do braço. Ao mesmo tempo, localize os *septos intermusculares medial* e *lateral*. Identifique as *porções longa e curta do bíceps* e acompanhe o *coracobraquial* até sua inserção. Levante o bíceps, afastando-o do *braquial* e disseque o nervo músculo-cutâneo. Localize a origem do *bráquio-radial* e do *extensor radial longo do carpo* (os músculos podem estar fundidos nas suas origens) e o nervo radial no intervalo entre êstes dois músculos e o braquial.
Complete a dissecação da veia basílica acompanhando-a até sua junção com as veias braquiais. Determine o tipo da junção. Disseque a *artéria braquial* e seus ramos. Note, particularmente, quaisquer variações na origem da *artéria profunda do braço*. Siga o nervo mediano até a fossa do cotovêlo; procure uma comunicação com o nervo músculo-cutâneo. Acompanhe o nervo ulnar atrás do epicôndilo medial. Note o nervo colateral ulnar (um ramo do nervo radial) e a *artéria colateral ulnar superior,* que acompanha o nervo ulnar.

9. Disseque o *tríceps*. Siga sua porção longa até a escápula. Complete a dissecação dos espaços triangular e quadrangular e seus vasos e nervos associados. Complete a dissecação do subescapular e dos seus nervos. Reveja as paredes da axila e a circulação colateral do ombro.
Seccione transversalmente a porção lateral do tríceps de modo a expor a porção medial e o nervo radial (fig. 15). Complete a dissecação do nervo radial e dos seus ramos.

Membro Superior

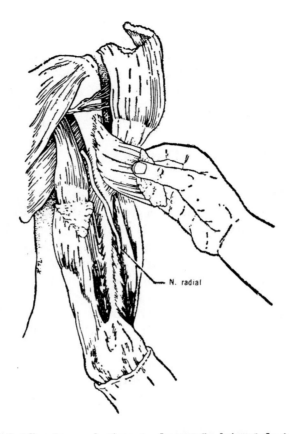

Figura 15. Secção e rebatimento da porção lateral do tríceps.

FOSSA DO COTOVÊLO

10. Retire a cútis do antebraço até o sulco distal do pulso. Localize e conserve o *ramo dorsal do nervo ulnar* (fig. 11). Disseque o *nervo cutâneo lateral do antebraço* e complete a dissecação dos *nervos cutâneos medial e posterior do antebraço*. Disseque as veias superficiais do antebraço, prestando especial atenção à sua disposição na fossa do cotovêlo. Remova a tela subcutânea do antebraço. Ao mesmo tempo, determine se está presente a *bôlsa subcutânea do olécrano*.

Identifique a *aponeurose do m. bíceps braquial* e note que ela se situa profundamente às *veias medianas do cotovêlo e cobre* os vasos braquiais e o nervo mediano. Disseque o pronador redondo e o bráquio-radial, que formam as margens da fossa do cotovêlo. Siga o tendão do bíceps até sua inserção e abra a *bôlsa bicípito-radial*. A seguir, exponha o soalho da fossa (formado pelo braquial e pelo supinador) removendo as veias superficiais, cortando a aponeurose bicipital e seccionando o tendão do bíceps. Acompanhe a artéria braquial até sua divisão, ao nível do ápice da fossa. Disseque a *artéria recorrente radial*. Acompanhe o nervo entre as duas porções do pronador redondo. Localize os ramos do nervo radial para o bráquio-radial e para o extensor radial longo do carpo. A partir da divisão do nervo radial, siga o *ramo profundo* no supinador e o *ramo superficial* sob o bráquio-radial.

REGIÃO ANTERIOR DO ANTEBRAÇO

11. Disseque o *pronador redondo*, o *flexor radial do carpo*, o *palmar longo* e o *flexor do carpo*, como se segue: Localize suas origens no úmero. Desinsira o flexor ulnar do carpo do septo intermuscular que o une ao flexor superficial dos dedos e identifique sua inserção aponeurótica na margem posterior da ulna. Na parte inferior do antebraço, identifique os tendões dos músculos, o *nervo mediano*, o *nervo* e a *artéria ulnar*, a *artéria radial*, o tendão do *abdutor longo* do *polegar*, o *ramo superficial do nervo radial* (fig. 11) e o *ramo dorsal do nervo ulnar* (êste deve já ter sido localizado na dissecação dos nervos cutâneos). Seccione o pronador redondo, o flexor radial do carpo e o palmar longo nas suas origens umerais. Tenha cuidado para não cortar o nervo mediano. Não seccione a origem ulnar do pronador redondo. Acompanhe a artéria radial e o ramo superficial do nervo radial até o pulso.

Por dissecação romba termine de separar o flexor ulnar do carpo do *flexor superficial dos dedos*; tracione o último, de modo a expor o plano neurovascular anterior do antebraço. Acompanhe o nervo ulnar, superiormente, entre as duas porções do flexor ulnar do carpo, até atrás do epicôndilo medial. Durante a dissecação do nervo, localize seus ramos musculares e a origem de seu ramo dorsal. Disseque a artéria ulnar até sua origem, na artéria braquial. Disseque a *artéria recorrente ulnar*, a *artéria interóssea comum* e a *artéria interóssea anterior*.

Note o nervo mediano passando superficialmente à porção ulnar do pronador redondo e profundamente ao arco entre as porções radial e umeral do flexor superficial dos dedos. Corte a porção radial dêste músculo e gire-o medialmente de modo a expor a camada profunda dos músculos flexores. Acompanhe o nervo mediano em todo seu percurso no antebraço (êle se justapõe à face profunda do flexor superficial dos dedos) e sua satélite *artéria mediana*. Disseque o *flexor longo do polegar*, o *flexor profundo dos dedos* e o *pronador quadrado*. Disseque a porção da *artéria interóssea anterior* que está situada profundamente ao flexor superficial dos dedos e note o *nervo interósseo anterior* que acompanha a artéria.

Identifique os tendões do flexor superficial dos dedos, o flexor longo do polegar e o flexor profundo dos dedos logo antes de penetrarem na mão e procure uma extensão superior da *bainha sinovial comum*,

Membro Superior 19

na parte inferior do antebraço. Corte transversalmente o pronador quadrado, perpendicularmente às suas fibras, e siga a artéria interóssea anterior através da *membrana interóssea* para o dorso do antebraço. Procure um ramo cárpico que acompanha o nervo interósseo anterior na mão. Não confunda êste ramo com a artéria interóssea anterior.

REGIÃO POSTERIOR DO ANTEBRAÇO

12. Identifique o *retináculo dos extensores*. Remova a fáscia do dorso do antebraço mas deixe o retináculo dos extensores. Com cortes verticais, abra cada compartimento profundamente ao retináculo e determine o número e a disposição das bainhas sinoviais.

Identifique os tendões que delimitam a "tabaqueira anatômica" e note a relação dos ramos do ramo superficial do nervo radial com êstes tendões. Disseque a artéria radial no soalho da tabaqueira anatômica.

Corte o bráquio-radial e o extensor radial do carpo nas suas origens, seccione seus suprimentos sangüíneo e nervoso e tracione distalmente os músculos. Acompanhe seus tendões até suas inserções.

Identifique o *anconeu* e localize seu tendão de origem. Disseque o *extensor radial curto do carpo, o extensor dos dedos e o extensor do dedo mínimo*. Desinsira-os, corte seus nervos e rebata-os distalmente. Acompanhe o tendão do extensor curto radial do carpo até sua inserção. Siga os tendões dos outros músculos até o dorso da mão mas deixe para mais tarde a dissecação de suas inserções. Disseque o *extensor ulnar do carpo* e seu tendão, mas não rebata o músculo.

Disseque o *músculo supinador*. Corte transversalmente sua parte superficial de modo a acompanhar o ramo profundo do nervo radial. Disseque sua continuação, o *nervo interósseo posterior,* e a *artéria interóssea posterior,* que encontra o nervo abaixo do músculo supinador. A parte profunda do supinador cobre a artéria onde esta perfura a membrana interóssea. Disseque a *artéria interóssea recorrente*.

Disseque o *abdutor longo do polegar,* os *extensores curto* e *longo do index*. Deixe para mais tarde a dissecação de suas inserções.

PALMA DA MÃO

13. Remova a cútis da mão. Seja especialmente cuidadoso no polegar (veja p. 20). Disseque o *palmar curto*. Acompanhe a artéria e o nervo ulnar lateralmente ao pisiforme. Disseque, a seguir, o *nervo digital-palmar* para o contôrno medial do dedo mínimo.

Acompanhe o palmar longo até o *retináculo dos flexores*, cujas extensões e inserções devem ser agora determinadas. Tenha muito cuidado para preservar o *ramo recorrente do nervo mediano* para os músculos tenares (logo distalmente ao retináculo, na margem medial dos músculos tenares). Disseque a aponeurose palmar, acompanhando suas expansões para os dedos. Por dissecação fina e cuidadosa, corte a aponeurose na sua fixação ao retináculo flexor e rebata distalmente suas divisões.

Disseque os *vasos* e *nervos digitais palmares* e os músculos lumbricais. Remova o palmar curto e acompanhe a artéria ulnar no *arco palmar superficial*. Localize os ramos do arco e complete a dissecação dos vasos e nervos digitais.

Remova a tela subcutânea da face palmar dos dedos de modo a demonstrar as *bainhas fibrosas* dos tendões flexores. Abra cada bainha muito cuidadosamente por meio duma incisão longitudinal, respeitando, se possível, a *bainha sinovial* (fig. 16 *B*). A seguir, abra a última a fim de dissecar os tendões flexores até suas origens. Note os *vínculos* associados aos tendões.

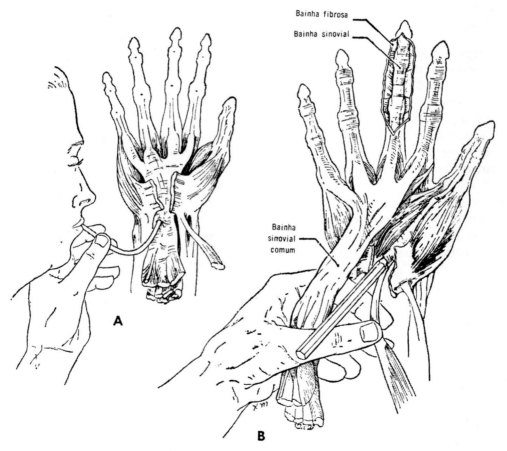

Figura 16. *A,* Demonstração da bainha sinovial comum soprando-se ar dentro dela. *B,* Demonstração da bainha sinovial do flexor longo do polegar. É mostrada a secção da bainha fibrosa do dedo médio.

Membro Superior 21

Identifique e disseque o *abdutor curto do polegar,* o *flexor curto do polegar* e o *oponente do polegar.* O abdutor pode ser dividido de modo a expor o oponente.

Disseque o *abdutor do dedo mínimo,* o *flexor curto do dedo mínimo* e o *oponente do dedo mínimo.* O flexor, se presente, pode ser dividido (e, se necessário, também, o abdutor) para expor o oponente.

14. Com cuidado, seccione verticalmente o retináculo dos flexores, preservando, tanto quanto possível, as bainhas sinoviais subjacentes (fig. 16). Corte, nas suas origens, os músculos flexores superficial e profundo dos dedos e o flexor longo do polegar de modo a permitir a elevação dos seus tendões no *canal do carpo.* Demonstre a bainha sinovial comum e a bainha do flexor longo do polegar (fig. 16). Abra as bainhas sinoviais. Complete a dissecação do nervo mediano, dos seus ramos digitais e dos músculos lumbricais. Com um estilete explore os *espaços fasciais* da palma. Veja se pode demonstrar o septo oblíquo que se estende ao terceiro metacárpico.

Divida o arco palmar superficial no centro da palma e rebata os tendões flexores longos para os dedos. Identifique e disseque o *adutor do polegar.* Divida o oponente do dedo mínimo ou corte-o na origem e disseque o *arco palmar profundo* e o ramo profundo do nervo ulnar. Procure, entre o adutor do polegar e o *músculo primeiro interósseo dorsal,* os ramos da artéria radial para o polegar e o índex e, a seguir, acompanhe a continuidade da artéria radial (inicialmente, entre as porções do primeiro interósseo dorsal e, a seguir, entre as porções do adutor do polegar) com o arco palmar profundo. Corte entre as duas porções de origem do músculo primeiro interósseo dorsal para facilitar esta dissecação. Finalmente, disseque os *músculos interósseos palmares.*

DORSO DA MÃO

15. Complete a dissecação do ramo dorsal do nervo ulnar e o ramo superficial do nervo radial. Complete a dissecação dos tendões no dorso dos dedos. Note as contribuições do abdutor curto do polegar e do adutor do polegar para a aponeurose extensora do polegar.

Identifique e disseque os *interósseos dorsais* e determine os que têm inserções falângicas. Acompanhe os lumbricais até suas inserções na aponeurose extensora e determine em que lado de cada aponeurose êles se inserem.

No dedo médio, localize os tendões que se inserem na aponeurose dos extensores (fig. 17). Corte na origem cada um dos interósseos dorsais e o lumbrical de modo a que a aponeurose extensora daquele dedo possa ser estendida e sua disposição determinada. Seccione na origem o interósseo do dedo anular e determine como êle se insere na *aponeurose extensora*. Verifique a contribuição do abdutor do dedo mínimo e do flexor curto do dedo mínimo para a aponeurose extensora do dedo mínimo.

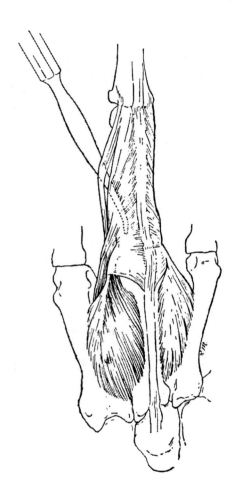

Figura 17. O uso de um estilete para identificar a aponeurose extensora e os tendões que nela estão inseridos.

ARTICULAÇÃO DO OMBRO

16. A remoção dos músculos durante a dissecação das articulações possibilita uma oportunidade para revisar e completar a dissecação das origens e inserções de certos músculos. A menos que haja instrução diversa, use apenas o membro direito para a dissecação das articulações.

Membro Superior

Corte a origem da parte superior do deltóide. Complete a dissecação do ligamento córaco-acromial e verifique suas fixações. Divida o ligamento de modo a completar a exposição do supraspinhal. Note se há defeitos no seu tendão. Divida o músculo profundamente ao ligamento (o trapézio pode ter sido cortado na sua fixação à espinha da escápula) e rebata o tendão em direção à sua inserção de modo a expor a cápsula da articulação do ombro. Do mesmo modo, divida o infraspinhal e o redondo menor e rebata seus tendões para as suas inserções de modo a completar a exposição da parte posterior da cápsula da articulação do ombro. Complete a dissecação do nervo e dos vasos suprascapulares. Corte na inserção o peitoral menor e, nas origens, o córacobraquial e a porção curta do bíceps. Corte na origem a porção longa do tríceps. Corte, a 2,5 cm das inserções, os tendões do peitoral maior, do grande dorsal e do redondo maior; note as bôlsas associadas a êles.

A seguir, corte o *ligamento transverso do úmero,* que forma uma ponte no sulco intertubercular, de modo a abri-lo e a expor o tendão da porção longa do bíceps.

Abra por trás a articulação do ombro, incisando a cápsula. Remova com escôpro a cabeça do úmero cortando ao nível do colo anatômico. Examine a face interna da parte anterior da cápsula articular e identifique os *ligamentos gleno-umerais.* Identifique a *bôlsa subescapular* e note sua comunicação com a cavidade da articulação do ombro. Note sua relação com o tendão do subescapular. Identifique o *ligamento córaco-umeral.* Examine a extremidade cortada do úmero. Note a substância esponjosa do osso, exposta, e a relativa delgadeza da substância compacta. Introduza um estilete, através da substância esponjosa, na cavidade medular.

ARTICULAÇÃO DO COTOVÊLO

17. Corte o deltóide na sua origem e note como a origem do braquial abraça a inserção do deltóide. Corte, na sua inserção, o córacobraquial. Remova as porções longa e lateral do tríceps e note a relação do nervo radial e da artéria profunda do braço com a porção medial. Remova a porção medial do úmero e rebata todo o músculo, distalmente, para sua inserção, de modo a expor a parte posterior da cápsula da articulação do cotovêlo. Corte transversalmente o músculo, logo acima de sua inserção e, a seguir, pratique uma incisão vertical no músculo, para baixo, até o olécrano, de modo a demonstrar quaisquer bôlsas. Agora, remova completamente do olécrano o tríceps e remova o anconeu. A extensão do supinador pode, então, ser observada. Remova êste músculo para dissecar o *ligamento colateral radial.*

Rebata o braquial, da sua origem, e por dissecação romba remova-o, cuidadosamente, da parte anterior da cápsula da articulação do cotovêlo. A seguir, corte o braquial, na sua inserção. Remova do epicôndilo medial quaisquer músculos remanescentes. Identifique e disseque o *ligamento colateral ulnar*.

Abra a cápsula da articulação do cotovêlo, na frente e atrás. Note os coxins gordurosos no olécrano, as fossas coronoídea e radial. Corte o ligamento colateral radial a fim de localizar o *ligamento anular*. Note a extensão da cavidade da articulação do cotovêlo, ao longo do colo do rádio.

Complete a remoção de tôdas as inserções musculares no antebraço de modo a expor a membrana interóssea. Limpe-a e note sua extensão. Abra a articulação rádio-ulnar distal cortando o *recesso sacciforme* e prolongando o corte inferior e superiormente ao *disco articular*. Os movimentos do rádio ao redor da ulna, na supinação e na pronação, podem agora ser estudados.

ARTICULAÇÕES DA MÃO

18. Corte nas inserções os tendões do flexor longo do polegar, o flexor superficial dos dedos, o flexor profundo dos dedos, os extensores radiais longo e curto do carpo e corte os tendões tensores restantes pouco antes de alcançarem os dedos. Corte na origem o adutor do polegar e verifique em que sesamóide êle se insere. Proceda do mesmo modo com o flexor curto do polegar (determine qual a disposição que existe com relação às porções superficial e profunda dêste músculo e seu suprimento nervoso). Determine o que compreende o primeiro interósseo palmar. Abra o túnel para o flexor radial do carpo, acompanhe o tendão até sua inserção e corte-o nesta.

Remova os músculos hipotenares das suas origens e determine se há um osso sesamóide associado às suas inserções.

Corte o flexor ulnar do carpo na sua inserção sôbre o pisiforme. Abra por cima a articulação pisopiramidal de modo a rebater distalmente o pisiforme e disseque os *ligamentos piso-hamático* e *pisometacárpico*. Identifique a *cápsula da articulação do pulso*, na frente e atrás, os *ligamentos radiocárpicos palmar* e *dorsal* e os *ligamentos colaterais ulnar* e *radial*. Abra, na frente, a articulação do pulso. Note os ossos que a formam, a maneira na qual os ossos cárpicos estão unidos e a presença de coxins gordurosos. Determine quais os ossos do carpo que se articulam com o disco articular. Verifique se o disco está perfurado.

Na *mão direita*, abra pela frente as articulações intercárpicas. Na *mão esquerda*, abra-as por trás. Em ambas, note a extensão da cavidade e a presença de coxins gordurosos. Determine quais os ossos cárpicos que formam a articulação. Estude os movimentos que podem ocorrer nesta e na articulação do pulso.

Abra a articulação carpometacárpica do polegar e note a forma selar de suas superfícies articulares. Na *mão direita,* abra as articulações carpometacárpicas restantes, pela frente. Na *mão esquerda,* abra-as por trás.

Localize o *ligamento metacárpico transverso profundo.* Disseque-o e note sua inserção nos *ligamentos palmares* das articulações metacarpofalângicas dos quatro dedos mediais. Determine as relações dos tendões dos lumbricais e interósseos com o ligamento. Corte os interósseos palmares e dorsais nas suas origens. No dedo médio de cada mão, identifique e limpe os *ligamentos colaterais* das articulações metacarpofalângicas e interfalângicas. Abra dorsalmente cada articulação. Identifique o ligamento palmar, determine suas inserções e sua relação com os ligamentos colaterais.

Abra a articulação metacarpofalângica de cada polegar e verifique como os sesamóides estão relacionados com a articulação.

DORSO E MEDULA ESPINHAL

MÚSCULOS SUPERFICIAIS E FÁSCIA TÓRACOLOMBAR

1 e 2. Localize os *nervos superiores* e *médios da nádega* e os ramos laterais dos *nervos subcostal* e *ílio-hipogástrico* (veja, abaixo, o trígono lombar). Os ramos laterais devem ser preservados até que o abdome, a pelve e o membro inferior sejam dissecados.

Complete a dissecação da origem do *grande dorsal*. Identifique a borda posterior do músculo oblíquo externo, repuxando, se necessário, o grande dorsal. Verifique se existe um *trígono lombar*. Se estiver presente, observe as fibras do *oblíquo interno* que formam seu soalho. Procure e preserve o ramo cutâneo lateral do nervo ílio-hipogástrico, que cruza o trígono ou decorre logo adiante dêle; o do nervo subcostal encontra-se na vizinhança.

Identifique o *trígono da ausculta*.

Os ramos cutâneos dos ramos dorsais dos nervos cervicais foram localizados durante a dissecação do membro superior. Complete a libertação do *trapézio* da sua origem e rebata-o lateralmente, tomando cuidado para preservar, em cima, o *nervo acessório*, o *nervo occipital maior* e a *artéria occipital*. Divida o grande dorsal com um corte vertical, começando no ângulo inferior da escápula. Rebata medialmente a parte medial. Observe as interdigitações das inserções costais do grande dorsal com aquelas do oblíquo externo. Identifique o *serrátil póstero-inferior* na face profunda do grande dorsal.

Tracione lateralmente o *levantador da escápula*. Identifique o *serrátil póstero-inferior*, corte-o na sua origem espinhal e rebata-o lateralmente.

Com a tesoura, corte verticalmente a *lâmina posterior* da *fáscia tóracolombar*, a cêrca de um dedo transverso do plano mediano, começando acima do nível da crista ilíaca e estendendo-se superiormente, como está ilustrado na fig. 18. Corte transversalmente a fáscia seguindo a indicação na fig. 18. Rebata o retalho lateral para a borda lateral do *músculo eretor da espinha*, onde ela se une à lâmina média. Pratique um corte vertical através da lâmina média (fig. 18) de modo a expor a face posterior do *quadrado lombar* (fig. 19). Rebata lateralmente as fáscias fundidas para a borda lateral do quadrado lombar, onde a elas se une a *lâmina anterior* da fáscia tóracolombar. Rebata medialmente a borda lateral do quadrado lombar. Faça um pequeno corte horizontal na lâmina anterior da fáscia, introduza um dedo no corte e palpe o rim.

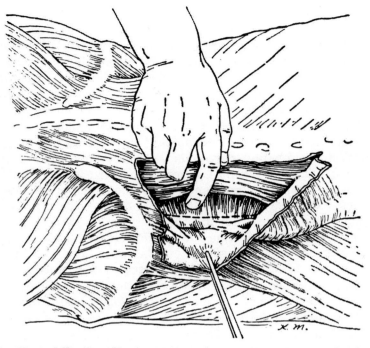

Figura 18. Exposição das lâminas posterior e média da fáscia tóracolombar.

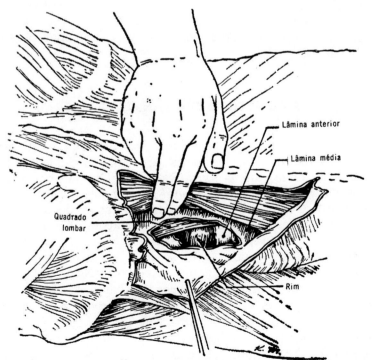

Figura 19. Exposição do quadrado lombar, da lâmina anterior da fáscia tóracolombar e da porção inferior do rim.

MÚSCULOS PROFUNDOS

Disseque o músculo eretor da espinha e suas 3 divisões. Identifique os *músculos esplênios,* liberte-os de suas origens e rebata-os para cima. Remova o eretor da espinha e suas divisões tanto quanto possível completamente. Ao mesmo tempo, respeite, onde possível, os ramos dorsais dos nervos espinhais.

Os músculos subjacentes, com percurso oblíquo, são dissecados como se segue: identifique o *semispinhal da cabeça,* corte sua inserção no osso occipital e rebata-o para baixo. Preserve o nervo occipital maior que perfura o músculo. Localize e preserve a artéria occipital. O *semispinhal do pescoço* pode, agora, ser identificado e removido. Identifique o *multífido,* os *rotadores* e os *levantadores das costelas.* Tanto na região lombar quanto na cervical, identifique os *interespinhais* e os *intertransversais.* Deve ser salientado que muitos dos músculos acima discriminados podem ser identificados sòmente pelas suas inserções, porque, freqüentemente, êles estão fundidos com músculos adjacentes.

Ao nível da 4ª ou 5ª costela, identifique o *ligamento costotransversal.* Corte êste ligamento e abra a *articulação costotransversal.*

Disseque o *oblíquo inferior da cabeça* (o nervo occipital maior gira em tôrno de sua borda inferior). A seguir, disseque o *oblíquo superior da cabeça* e o *reto posterior maior da cabeça.* Êstes três músculos delimitam o *trígono* suboccipital. Remova o plexo venoso suboccipital e disseque a *artéria vertebral* e o *nervo suboccipital* dentro do trígono (o nervo occipital maior cruza o trígono). Desinsira o reto posterior maior da cabeça do áxis e rebata-o superiormente para expor o *reto posterior menor da cabeça.*

ARTICULAÇÕES E CONTEÚDO DO CANAL VERTEBRAL

3. Remova, no que fôr necessário, os músculos para expor os processos espinhosos, as lâminas e os processos articulares de tôdas as vértebras, para cima, até o áxis. Raspe até limpar os ossos expostos. Identifique os *ligamentos supraspinhal* e *interespinhal,* os *ligamentos flavos* e as cápsulas das articulações das facêtas articulares. Corte estas cápsulas e estude estas importantes articulações. Note que cada ramo dorsal, no seu trajeto posterior, está adjacente à cápsula e que, na região torácica, êsse trajeto acha-se num pequeno forame delimitado pela cápsula articular e pelo ligamento costotransversal superior.

Começando com as vértebras lombares, corte ou serre transversalmente as lâminas (fig. 20), expondo o *canal vertebral* para baixo, em direção ao cóccix, e para cima, em direção ao áxis. Remova as lâminas e os processos espinhosos (fig. 21). Amplie a exposição usando pinças ossívoras. Identifique as veias assim expostas; a seguir, remova-as com a gordura.

Dorso e Medula Espinhal

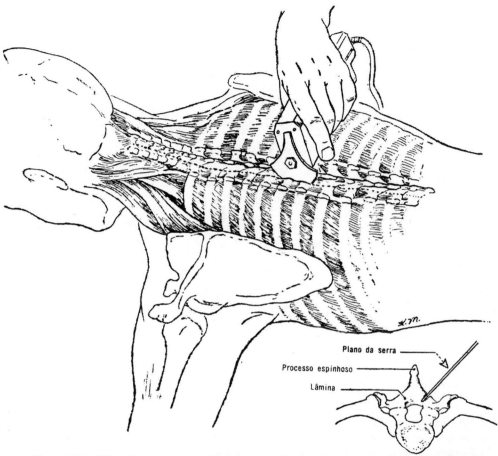

Figura 20. Usando a serra para cortar as lâminas das vértebras. A figura suplementar mostra o plano da lâmina da serra em relação à lâmina do arco vertebral.

    Localize os nervos espinhais e note os prolongamentos da *dura--máter* ao longo dêles. Identifique o *filamento da dura-máter espinhal.* Incise longitudinalmente a dura-máter, no plano mediano. Geralmente, é cortada, também, a *aracnóide espinhal.* Separe a aracnóide da dura--máter. Note os prolongamentos da aracnóide ao longo dos nervos espinhais. Determine o nível vertebral no qual termina a medula e o nível no qual termina o *cavo subaracnoídeo.* Encontre o *ligamento denticulado* estendendo-se longitudinalmente entre as *raízes ventral* e *dorsal.* Identifique o *filamento terminal,* o *cone medular* e a *cauda eqüina.* Localize as raízes dorsais dos seguintes nervos: C7, T2, T6, T10 e L3. Determine os níveis vertebrais nos quais estas raízes estão inseridas na medula. Localize os *gânglios espinhais* destas raízes. Note a posição de cada um dos nervos espinhais correspondentes em relação ao *disco intervertebral* à medida que atravessam o forame intervertebral. Use a pinça

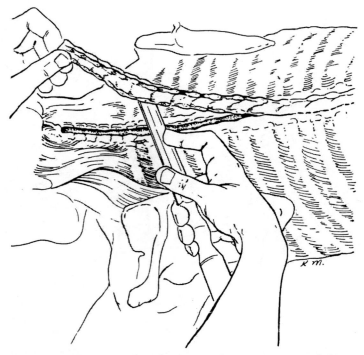

Figura 21. Remoção das lâminas e dos processos espinhosos.

ossívora para alargar os forames intervertebrais e localize a divisão dos nervos em *ramos ventral* e *dorsal*. Localize os ramos comunicantes por esta via de acesso e procure os *ramos meníngicos*. Procure os vasos sangüíneos que penetram no canal vertebral através dos forames intervertebrais.

Pratique uma secção horizontal através da *intumescência cervical*, através da região torácica média e através da *intumescência lombar* da medula. Note a morfologia da medula em cada nível, as fissuras, a forma da substância cinzenta e as posições dos *funículos lateral, anterior* e *posterior*. Localize a *artéria espinhal anterior* e as *artérias espinhais posteriores* (as últimas podem se apresentar mais como rêdes do que como vasos individualizados).

TÓRAX

CAIXA TORÁCICA

1. Remova a cútis do resto do tronco (fig. 22). Retire a fáscia dos músculos que ainda revestem a caixa torácica óssea. Não remova qualquer fáscia da parede abdominal anterior. Disseque, cuidadosamente, as origens costais do *serrátil anterior* e do *oblíquo externo;* note como elas se interdigitam. Destaque o serrátil anterior das costelas. Disseque as digitações costais do *grande dorsal*. Note como elas se interdigitam com aquelas do oblíquo externo e, a seguir, corte-as e separe-as das costelas. Corte o oblíquo externo junto às costelas e rebata-o até a borda costal.

Localize o 3º e o 4º espaços intercostais. Identifique o *músculo intercostal externo* e remova-o em cada um dêstes espaços, preservando, se possível, os *ramos cutâneos laterais dos nervos intercostais*. Observe a *membrana intercostal externa*. Identifique o *músculo intercostal interno*. Siga posteriormente o ramo cutâneo lateral do nervo intercostal até sua origem, expondo, assim, o plano neurovascular no qual se

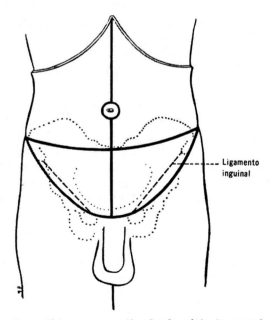

Figura 22. Linhas de incisão para a retirada da cútis da parede abdominal anterior.

encontram o *nervo* e os *vasos intercostais*. Em seguida remova o músculo intercostal interno em cada um dêstes espaços. Pode estar presente um *músculo intercostal íntimo,* profundamente ao nervo e aos vasos, mas não o disseque. A cêrca de 1 cm do esterno identifique a *artéria torácica interna.* Parte do *músculo transverso do tórax* pode estar profundamente a ela. Disseque os *ramos intercostais anteriores* e *perfurantes* da artéria torácica interna.

Usando seus dedos, afaste a pleura da 4ª costela no plano da *fáscia endotorácica.* Retire, pelo menos, 25 cm de costela, começando na junção costocondral. Pesquise, com o estilete, ao longo da borda inferior do segmento removido de costela e identifique o nervo intercostal e os vasos intercostais posteriores. Examine suas relações.

PLEURAS E PULMÕES

2. Remova a 2ª até a 6ª cartilagem costal, de cada lado, cortando-as transversalmente (1) nas junções costocondrais e (2) logo lateralmente ao esterno e aos vasos torácicos internos (fig. 23). Será necessário rebater em parte o *reto do abdome.* O músculo transverso do tórax deverá ser seccionado. Disseque a artéria torácica interna e seus ramos terminais, as *artérias epigástrica superior* e *músculofrênica.*

Começando anteriormente use os dedos e, com cuidado, separe a pleura parietal das costelas. Aderências patológicas entre a pleura e as costelas, freqüentemente, tornam impossível evitar a ruptura da pleura. Corte a 2ª até a 6ª costela, nos seus ângulos (fig. 24). Poderá ser necessário, ulteriormente, retirar maior número de costelas de modo a ter mais espaço para dissecação.

De cada lado, abra a cavidade pleural praticando incisão cruciforme na *pleura parietal.* Rebata os quatro retalhos para expor o pulmão com sua *pleura visceral.*

Introduza sua mão na cavidade pleural e dirija-a medialmente para o *recesso costomediastinal.* Note que a mão é detida pela reflexão que forma a borda anterior da pleura. Levante o esterno e observe a grande proximidade existente entre as duas bordas anteriores. Localize o *recesso costodiafragmático* e verifique sua extensão. Identifique a *raiz do pulmão.* Coloque uma mão posteriormente ao pulmão e a outra, anteriormente, e observe que os dedos se encontram acima da raiz mas que êles não se podem encontrar embaixo devido à presença do *ligamento pulmonar,* que é formado pela reflexão da parte mediastinal da pleura parietal para o pulmão como pleura visceral. Em alguns cadáveres, adesões entre as pleuras parietal e visceral podem ser rompidas para a verificação da extensão da cavidade pleural.

Remova o pulmão como se segue: com uma das mãos atrás do pulmão para localizar sua raiz, corte transversalmente a raiz, começando superiormente, junto ao pulmão, e prosseguindo, inferiormente, através do ligamento pulmonar (fig. 25).

Tórax

Removido o pulmão, determine até onde a pleura parietal se estende no pescoço. Verifique, de novo, os recessos e as reflexões da pleura parietal. Coloque uma das mãos em cada cavidade pleural e observe que os dedos podem ser justapostos atrás do esôfago, onde as duas lâminas da pleura parietal formam um meso-esôfago. Êste pode ser de difícil demonstração em alguns cadáveres.

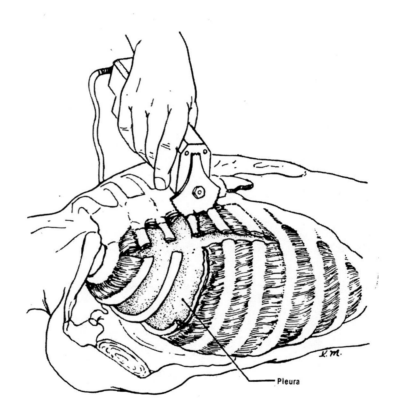

Figura 23. Remoção da 2ª à 6ª cartilagem costal. A 4ª costela já foi removida.

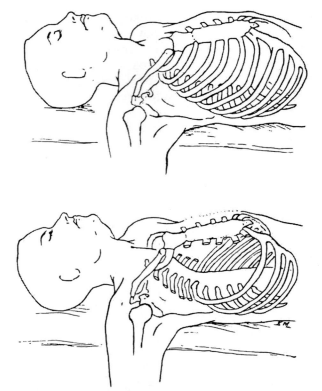

Figura 24. Diagrama para mostrar a remoção das costelas.

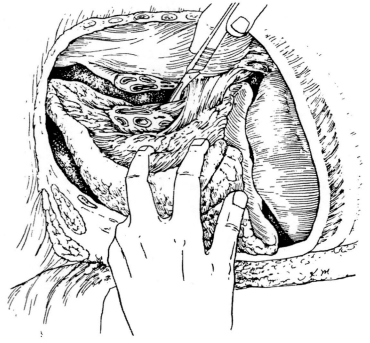

Figura 25. Cortando a raiz do pulmão e o ligamento pulmonar.

Tórax

3. Estude os lobos, as fissuras e os caracteres de cada pulmão Note o grau de pigmentação da superfície e determine se há ou não variações e, naquele caso, quais são elas. Identifique as estruturas de cada *hilo* e verifique as diferenças entre o direito e o esquerdo. Compare os pulmões direito e esquerdo com relação a tamanho, forma, lobos, fissuras e impressões. Começando em cada hilo, remova o parênquima pulmonar e os linfonódios dos brônquios e vasos. Conduza esta dissecação perifèricamente para poder identificar os *brônquios* e as *artérias segmentares*. Realize esta dissecação só num lado. Alterne esta com outras mesas de modo a que permaneçam intatos pulmões direitos e esquerdos para revisão.

VASOS E NERVOS DO TÓRAX

4. Afaste ou remova a parte costal da pleura parietal da superfície interna das costelas, observando a natureza areolar da fáscia endotorácica. Acompanhe a pleura anterior e posteriormente aos lados do mediastino (deve ter em mente, claramente, a natureza do *mediastino* e das suas subdivisões) e remova a pleura das estruturas mediastinais e do diafragma. Estude o diafragma, cuja dissecação será completada com o abdome. De cada lado, disseque o *nervo frênico* e a *artéria pericardiacofrênica* que o acompanha; siga o nervo até o diafragma.

Identifique e disseque os vasos intercostais posteriores e o nervo intercostal na extremidade posterior de cada espaço intercostal. Disseque o tronco simpático, seus gânglios e seus ramos comunicantes. Localize os ramos para os *plexos pulmonar, cardíaco* e *aórtico*. Procure os *nervos esplâncnicos* e acompanhe-os em direção ao diafragma.

5. Faça um corte através da *articulação manúbriosternal*. Liberte o esterno e afaste-o para baixo. Se necessário, corte transversalmente a *articulação xifisternal*.

LADO DIREITO. Localize a *veia ázigos* e siga-a à medida que ela forma o arco acima da raiz do pulmão. Pesquise o *ducto torácico* entre a veia ázigos e a *aorta* e siga-o para cima. Localize a *traquéia,* o *brônquio principal direito,* a *veia bráquiocefálica direita,* a *veia cava superior* e a *veia cava inferior*. Procure, então o *nervo vago direito* próximo à traquéia (ou atrás dela) e siga-o posteriormente à raiz do pulmão. Remova aqui os linfonódios. Em seguida, acompanhe o nervo vago, da raiz do pulmão ao *esôfago,* e determine o tipo de sua ramificação. Pesquise uma *artéria bronquial direita*.

LADO ESQUERDO. Localize a traquéia, o *brônquio principal esquerdo,* a *veia braquiocefálica esquerda,* a aorta e os ramos do *arco da aorta*. Procure o nervo vago esquerdo, ao lado da *artéria carótida comum esquerda,* acompanhe-o ao cruzar o arco da aorta e identifique o *nervo laríngico recorrente esquerdo* ao lado do *ligamento arterial*. Siga o nervo vago posteriormente à raiz do pulmão e ao esôfago, onde seu tipo de ramificação deve ser determinado. Remova, ainda, os linfonódios. Identifique as *veias hemiázigos* e *hemiázigos acessória,* mas não é necessário dissecá-las. Procure as *artérias bronquiais esquerdas.* Pesquise o ducto torácico atrás da *artéria subclávia esquerda.*

CORAÇÃO E GRANDES VASOS

6. Note a extensão superior do *pericárdio fibroso* e sua fixação inferior no diafragma. No mediastino superior, localize o *timo,* verifique a eventual presença de aspecto bilobado, e a seguir, remova-o.

Abra a cavidade pericardíaca anteriormente com uma incisão cruciforme e rebata os quatro retalhos. Observe o *pericárdio seroso* interno. Localize sua reflexão ao coração como *epicárdio.* Introduza seu index esquerdo, anteriormente à veia cava superior, posteriormente à *aorta ascendente* e ao *tronco pulmonar,* identificando, por êsse meio, o *seio transverso do pericárdio.* Coloque sua mão direita por baixo e, em seguida, por trás do coração. Note que sua mão penetra numa reflexão do pericárdio, que forma um fundo de saco, o *seio oblíquo do pericárdio,* limitado à direita pelas *veias pulmonares direitas* e *cava inferior* e, à esquerda, pelas *veias pulmonares esquerdas.*

Seccione a veia cava inferior e as pulmonares, ao nível de sua entrada no pericárdio. Corte o tronco pulmonar a, pelo menos, 2 cm acima da valva e, em seguida, a veia cava superior, ao penetrar no pericárdio. Finalmente, corte a aorta a não menos de 5 cm acima da valva da aorta e remova o coração.

7. Identifique e disseque as *artérias coronárias direita* e *esquerda,* seus ramos que possuem nomes e os ramos para os nós. Identifique e disseque o *seio coronário* e as *veias magna, média* e *pequena do coração.* Observe as *veias anteriores do coração* e os *plexos nervosos cardíacos.*

Com um lápis dermográfico, trace linhas de incisão na superfície do coração, de acôrdo com as indicações contidas na fig. 26. Em seguida, corte ao longo das linhas traçadas, abra o coração e retire o sangue coagulado, cuidando de não danificar o interior do órgão.

No átrio direito, identifique a *crista terminal* e localize, se presente, a *válvula da veia cava inferior* e a *válvula do seio coronário.* Observe os *forames das veias mínimas,* através das quais desembocam pequenas veias. Identifique a *fossa oval* e o *limbo da fossa oval* e determine se há um forame oval permeável. Nos *ventrículos direito* e *esquerdo* identifique as *cúspides,* os *músculos papilares,* as *cordas tendíneas,* as *trabéculas cárneas* e as partes do *septo interventricular.* Note a *trabécula septomarginal* no ventrículo direito. No átrio esquerdo, identifique o forame oval e sua válvula, se presente.

Tórax

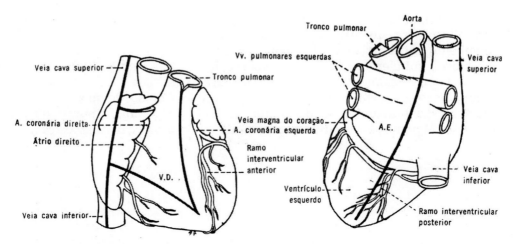

Figura 26. Vistas anterior e posterior das linhas de incisão para a abertura do coração. V. D., ventrículo direito. A. E., átrio esquerdo.

As *valvas átrioventriculares direita* e *esquerda,* da *aorta* e do *tronco pulmonar* apresentam disposição e tamanho normais? Identifique as *lúnulas* e os *nódulos* das valvas da aorta e do tronco pulmonar. Procure a *prega da veia cava esquerda* e o *ligamento da veia cava esquerda* inserindo-se no seio coronário. Pesquise, também, a *veia oblíqua do átrio esquerdo.*

8. Identifique as *artérias pulmonares direita* e *esquerda.* Remova cuidadosamente os *linfonódios traqueobronquiais.* Identifique os nervos que contribuem para o *plexo cardíaco* e acompanhe-os em direção ao tronco simpático e, proximalmente, em direção ao pescoço. Os ramos que nascem no pescoço devem ser preservados para futuro estudo. O *nervo laríngico recorrente esquerdo* pode, agora, ser acompanhado, proximalmente, entre a traquéia e o esôfago. Pode-se, então, avançar mais na dissecação das grandes veias e artérias, o *nervo laríngico recorrente direito* pode ser localizado abaixo da artéria subclávia direita, e o ducto torácico, novamente, localizado e seguido no pescoço. O nervo laríngico recorrente direito pode ser encontrado, fàcilmente, na dissecação do pescoço.

Para dissecar o *esôfago,* poderá ser necessário separar o pericárdio do diafragma. Localize os ramos dos nervos vagos no esôfago e acompanhe-os até a formação dos *troncos vagais anterior* e *posterior.* Complete a dissecação dos nervos esplâncnicos até o diafragma. Procure um gânglio esplâncnico no nervo esplâncnico maior. Complete a dissecação do esôfago.

Identifique o *ligamento radiado* na 4ª ou na 5ª costela. Corte-o verticalmente e note o *ligamento intra-articular,* dividindo a cavidade articular. Identifique o *ligamento costotransversal superior* e observe sua continuidade com a membrana intercostal interna. Localize o nervo intercostal, que emerge entre as duas partes do ligamento costotransversal superior. Identifique o *ânulo fibroso,* junto à fixação medial do ligamento intra-articular. Desloque as partes moles anteriores à coluna vertebral, suficientemente, para expor o *ligamento longitudinal anterior.* Corte transversalmente êste ligamento para permitir maior exposição do ânulo fibroso. Corte, horizontalmente, o ânulo fibroso de modo a obter uma secção horizontal do disco intervertebral e, assim, expor o núcleo pulposo. Movimente a coluna vertebral de modo a alargar a exposição.

ABDOME

PAREDE ABDOMINAL E REGIÃO INGUINAL

1. Identifique os *vasos epigástricos superficiais,* os *vasos circunflexos superficiais do ílio* e os *linfonódios inguinais superficiais.*

Não há necessidade de separar as camadas superficial e profunda da tela subcutânea. Nem sempre são fàcilmente encontradas. Coloque um dedo profundamente à tela subcutânea logo acima do tubérculo púbico. Introduza inferiormente o dedo, em direção ao períneo, demonstrando, assim, a continuidade dêste plano tecidual da parede abdominal com o períneo. Remova, cuidadosamente, a tela subcutânea da parede abdominal. Durante a remoção, localize os *ramos cutâneos anteriores* dos *nervos tóraco-abdominais* (o mais caudal, contudo, logo acima da crista púbica, pertence ao nervo ílio-hipogástrico). Demonstre que a tela subcutânea está fundida com a *fáscia lata,* logo abaixo do *ligamento inguinal,* ao longo da linha do sulco de flexão do quadril. Após remover a tela subcutânea, disseque, cuidadosamente, o oblíquo externo e sua aponeurose. Não remova qualquer parte da aponeurose na crença de que seja fáscia. Identifique o *ligamento inguinal* e o *ânulo inguinal superficial.*

O *oblíquo externo* já foi rebatido da sua origem costal. Seccione-o, agora, a um dedo transverso acima da crista ílica, mas respeite os ramos cutâneos laterais dos nervos subcostal e ílio-hipogástrico. Use seus dedos e o cabo do bisturi para separar o oblíquo externo do interno. Opere esta separação em sentido medial até a bainha do reto. Esta manobra deve expor os *nervos ílio-hipogástrico* e *ílio-inguinal* ao perfurarem o oblíquo interno. Não corte nem destaque o ligamento inguinal.

2. Nos espaços abaixo da 10ª e da 11ª costela, verifique que o *oblíquo interno* é contínuo com os músculos intercostais internos. Remova o intercostal interno da parte anterior de cada espaço. Localize os 10º e 11º *nervos intercostais* e siga-os entre o oblíquo interno e o diafragma e, a seguir, entre o oblíquo interno e o transverso do abdome. Separe o oblíquo interno do *transverso,* a partir da borda posterior do oblíquo interno. Se os dois músculos estiverem fundidos, separe grosseiramente as fibras do oblíquo interno 2,5 a 5 cm acima da espinha ílica ântero-superior até que as fibras do transverso sejam encontradas (a *artéria circunflexa profunda do ílio* e seu *ramo ascendente* devem ser aí encontrados). A seguir, continue a separação dos músculos (ao mesmo tempo, corte o oblíquo interno da sua inserção costal) e proceda medialmente à separação até a bainha do reto. Não faça a separação abaixo do nível da espinha ílica ântero-superior. Os ramos anteriores dos nervos tóraco--abdominais podem ser seguidos na face profunda do oblíquo interno até a bainha do reto.

Agora corte o transverso do abdome das suas inserções fascial e costal. Separe-o, cuidadosamente, da *fáscia transversal* infrajacente e do *peritoneu*, conduzindo a separação medialmente até a bainha do reto e seccionando quaisquer inserções remanescentes da bainha à caixa torácica. Não corte sua inserção ílica. A constituição da bainha do reto pode, agora, ser determinada. Abra a *bainha* de cada *reto do abdome* com uma incisão vertical, que se inicie na extremidade superior do músculo, a cêrca de 2,5 cm do plano mediano, e que desça até cêrca de 7,5 cm acima da sínfise da pube. Por dissecação fina, separe a lâmina anterior da bainha das *intersecções tendíneas*. Note os nervos que emergem através do músculo. A seguir, rebata inferiormente o músculo, cortando suas inserções costais, seccionando os nervos que nêle penetram e os vasos epigástricos superiores. Observe a extensão da lâmina posterior da bainha do reto. Note a *linha arqueada* (pode haver mais de uma). Abra a lâmina anterior da bainha do reto acima da sínfise da pube e localize o *piramidal*.

3 e 4. A região inguinal deve estar, ainda, intata. Identifique, de novo, o ânulo inguinal superficial e observe o *funículo espermático* (na mulher, o *ligamento redondo do útero*) e suas túnicas. Se existir alguma hérnia, consulte um instrutor acêrca do método de dissecação. Faça uma incisão através da cútis do escroto ou do lábio maior, da *túnica dartos* (ausente na mulher), da *fáscia superficial* e prolongue o corte até o ânulo. Rebata a fáscia superficial e note a continuidade da *fáscia espermática externa* com a aponeurose oblíqua externa. Observe as *fibras intercrurais*. Disseque o nervo ílio-inguinal, que emerge do *canal inguinal*, superficialmente às túnicas do funículo espermático. Localize a inserção do *pilar medial* e note que o *pilar lateral* é contínuo com o ligamento inguinal e está inserido no tubérculo púbico. Note, também, que o pilar lateral é contínuo com o *ligamento lacunar*, sôbre o qual repousa o funículo espermático. Palpe o ligamento lacunar e observe sua fixação na linha pectínea.

Corte a fáscia espermática externa e prolongue a incisão entre os pilares e através da aponeurose, cêrca de 2 a 3 cm acima e paralelamente ao ligamento inguinal, até o nível da espinha ílica ântero-superior. Rebata os retalhos. Note as fibras musculares do oblíquo interno. Verifique que o oblíquo interno é contínuo com o *músculo cremaster* e com a *fáscia cremastérica*. Note que o funículo espermático emerge através do oblíquo interno lateralmente ao ânulo inguinal superficial. Determine se o oblíquo interno nasce, em parte, da fáscia ílica ao nível da fusão da fáscia com o ligamento inguinal. Acompanhe o músculo (sua aponeurose ou suas fibras musculares) à medida que êle se arqueia sôbre o funículo espermático ou se funde com a aponeurose do transverso do abdome.

Seccione a camada cremastérica e o oblíquo interno, como foi feito para o oblíquo externo e rebata-os. Identifique as fibras musculares do transverso e determine se êle nasce em parte da fáscia ilíaca ao nível da fusão da fáscia com o ligamento inguinal. Note que êle se arqueia sôbre o funículo espermático e que sua aponeurose se estende medialmente para se fundir com a do oblíquo interno. Esta *foice inguinal* (*tendão conjunto*) está inserida na linha pectínea e pode enviar prolongamentos para a bainha do reto e para a sínfise da pube.

Identifique a fáscia transversal e procure sua continuidade com a *fáscia espermática interna*. Corte esta fáscia e identifique os elementos que constituem o funículo espermático. Note a posição do *ânulo inguinal profundo*. Disseque os *vasos epigástricos inferiores* e note sua relação com o ânulo inguinal profundo. Identifique o tecido conetivo extraperitoneal. Determine os limites e as paredes do canal inguinal. Identifique o *ligamento pectíneo*.

PERITONEU

5. Corte a lâmina posterior da bainha do reto, a seguir, seccione a fáscia transversal, o tecido extraperitoneal e o peritoneu, com incisões verticais praticadas um pouco à esquerda do plano mediano. Os cortes verticais devem estender-se da margem costal à pube. Em seguida, faça uma longa incisão horizontal, logo acima do nível do umbigo. A cavidade peritoneal é, assim, aberta.

Não disseque até que, com o auxílio do Tratado e do Atlas e com a exploração digital, haja localizado e identificado as pregas, os ligamentos, os sacos, os omentos, as fossas e os recessos do peritoneu.

Identifique o *ligamento falciforme* com o *ligamento redondo do fígado* e siga-os até o fígado. Identifique e acompanhe as *pregas umbilicais mediana, medial* e *lateral*.

Localize o *diafragma*, o *fígado*, a *vesícula biliar*, o *estômago*, o *omento maior*, o *omento menor*, o *baço*, o *intestino delgado*, o *mesentério*, o *cécum*, o *apêndice vermiforme*, o *cólon ascendente*, o *cólon transverso*, o *cólon descendente*, o *cólon sigmóide*, o *mesocolon transverso*, o *mesocolon sigmóide*, os *rins* e a *bexiga urinária*. Na mulher, localize o *útero*, as *tubas uterinas* e os *ovários*.

Identifique os *recessos subfrênicos intraperitoneais anteriores direito* e *esquerdo,* colocando uma mão de cada lado do ligamento falciforme como está indicado na fig. 27A. Esta manobra habilita a localizar a lâmina superior do *ligamento coronário* bem como os *ligamentos triangulares direito* e *esquerdo*.

Com a mão esquerda, acompanhe a lâmina superior do ligamento coronário, ao redor do ligamento triangular direito, até a lâmina inferior do ligamento coronário e, daí, ao *ligamento hépato-renal,* que constitui o limite superior do *recesso hépato-renal*.

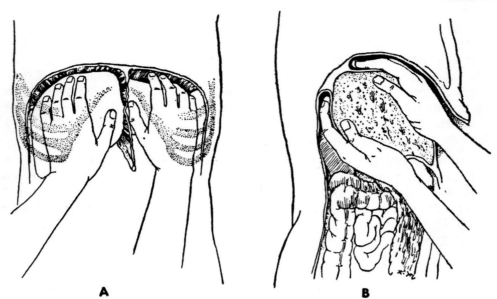

Figura 27. *A*, Localizando os recessos intraperitoneais subfrênicos anteriores. O diafragma foi omitido. *B*, Localizando os recessos hépato-renal e intraperitoneal subfrênico direito. O fígado é mostrado seccionado para facilitar a vista.

Agora, introduza a mão direita, dirigindo-a, tanto quanto possível, em sentido posterior, no recesso subfrênico intraperitoneal anterior direito (fig. 27B). As duas mãos estão agora separadas pelo ligamento coronário e pela *área nua do fígado,* incluída no ligamento coronário.

Localize a margem livre, ou seja, direta do omento menor. Colocando-se à direita do cadáver, introduza o índex esquerdo através do *forame epiplóico* na *bôlsa omental.* O omento menor limita ventralmente o forame e a *veia cava inferior* limita-o dorsalmente. Seu dedo pode ser dirigido para cima para alcançar o *recesso omental superior.* Todavia, as vísceras são, geralmente, muito rígidas para permitir localizar o recesso superior da bôlsa omental. Daí ser, comumente, necessário penetrar por uma incisão praticada à esquerda da borda livre do omento menor (fig. 28). Introduza o dedo na bôlsa omental através dêste orifício artificial, localize o baço e segure seu pedículo entre o dedo médio e o índex direitos (figs. 28 e 29). Introduza o índex esquerdo e dirija-o para a esquerda na bôlsa omental, onde êle encontrará os dedos direitos, os quais seguram o pedículo lienal. Determine quais são as lâminas peritoneais que impedem os dedos de se tocarem. Determine a extensão da bôlsa omental no omento maior.

Levante o omento maior e identifique os *sulcos paracólicos,* lateralmente aos cólons ascendente e descendente. Identifique, também, as partes direita e esquerda do andar inframesocólico da cavidade do peritoneu.

Verifique se as *pregas* e os *recessos duodenais superiores* e *inferiores* estão presentes.

Abdome

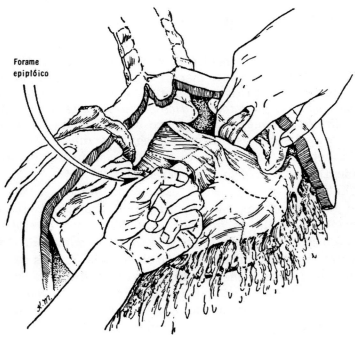

Figura 28. Abertura artificial através do omento menor para dentro da bôlsa omental. O pedículo do baço é pinçado entre os dedos indicador e médio direitos. A linha tracejada indica a linha de incisão do estômago quando êste órgão é dissecado.

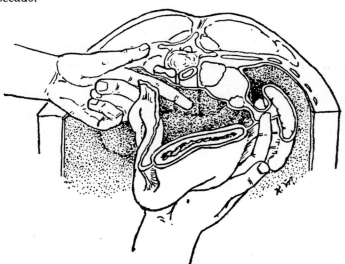

Figura 29. Secção transversal esquemática para mostrar o dedo índex esquerdo penetrando na bôlsa omental e o pedículo do baço pinçado pelos dedos índex e médio direitos.

Identifique a *prega cecal vascular* e a *prega íleocecal* e determine se os *recessos ileocecais superior* e *inferior*, o *retrocecal* e o *intersigmoídeo* estão presentes.

VIAS BILIARES E ESTÔMAGO

6. Disseque o *ducto colédoco,* a *artéria hepática própria* e a *veia porta* na borda livre do omento menor. O plexo nervoso existente na adventícia da artéria hepática deve ser retirado. Acompanhe o ducto colédoco até o *ducto cístico* e o *ducto hepático comum* e êste último até os *ductos hepáticos direito e esquerdo.* Um pouco de parênquima hepático pode ser removido para dissecar os ductos. Disseque os *ramos direito e esquerdo* da artéria hepática própria e, se possível, acompanhe-a até o *tronco celíaco.* Identifique a *artéria* e a *veia cística.*

Estude os caracteres do estômago; observe a *veia pré-pilórica* na junção gastroduodenal. No omento maior, próximo à curvatura maior do estômago, disseque as *artérias gastro-epiplóica direita e esquerda.* Acompanhe a artéria direita até a *artéria gastroduodenal.* Divida o estômago em metades por uma incisão que se estenda através das duas curvaturas (fig. 28). Rebata a metade direita para a direita e complete a dissecação da artéria gastroduodenal. Disseque a *artéria lienal* e seus ramos. Pode ser necessário separar do *pâncreas* a artéria lienal. Disseque a *artéria* e a *veia gástrica esquerda* na curvatura menor, no omento menor; remova o que fôr necessário do lobo esquerdo do fígado para permitir que a artéria seja seguida até sua origem no tronco celíaco e que sejam localizados seus *ramos esofágicos.* Disseque a *anastomose* entre a veia gástrica esquerda e as *veias esofágicas.*

Determine se a artéria hepática esquerda ou uma artéria hepática esquerda acessória ou ambas nasce(m) da artéria gástrica esquerda. Verifique as variações eventuais do pedículo hepático.

Identifique os *troncos vagais anterior* e *posterior* junto ao esôfago. Descubra seus ramos para as faces anterior e posterior do estômago, para o *plexo* e os *gânglios celíacos* e para o plexo hepático. Observe a grande contribuição do tronco vagal posterior para o plexo celíaco.

INTESTINOS

7. Inspecione o mesentério. Note a relativa ausência de gordura no mesentério do jejuno. Compare o tipo de arcadas arteriais nas diferentes partes do mesentério. Disseque as *artérias retas* numa pequena área do mesentério.

Disseque a *artéria* e a *veia mesentérica superior* bem como os nervos e os linfonódios que as acompanham. Disseque as *artérias jejunais, ileais* e *cólicas,* que nascem da artéria mesentérica superior. Localize e disseque a *artéria marginal.*

Rebata para cima o mesentério e os intestinos. Localize a parte horizontal do duodeno junto à parede abdominal posterior. A seguir, localize a origem da *artéria mesentérica inferior,* caudal ou dorsalmente ao duodeno, poucos cm acima da bifurcação da aorta. Agora disseque a artéria mesentérica inferior, suas *artérias cólicas* e *sigmoídeas* e os nervos que as acompanham. Siga para cima a *veia mesentérica inferior* em direção à flexura duodenojejunal.

Faça duas ligaduras, separadas por 2 a 3 cm, no intestino delgado, logo aboralmente à flexura duodenojejunal e duas outras na parte aboral do cólon sigmóide. Corte entre os dois pares de ligaduras. Seccione os vasos e nervos mesentéricos, onde êles penetram no intestino. Levante o cécum e corte o peritoneu e os vasos de modo a libertar o cécum e o cólon ascendente. Seccione o mesocolon transverso e liberte o cólon transverso do duodeno, do pâncreas e do estômago. A seguir, liberte o cólon descendente e o sigmóide. Lave os intestinos com água corrente. Corte pequenos segmentos retangulares do estômago, jejuno, íleo, cécum e cólon e fixe-os com alfinetes, mantendo a superfície mucosa para cima, numa lâmina de cêra, numa panela ou num bloco de madeira. Estude a superfície mucosa com uma lente manual. Separe a *túnica mucosa,* a *tela submucosa,* a *túnica muscular* (dois estratos) e a *túnica serosa* (quando presente). Abra a junção ileocecocólica e estude a *valva íleocecal.*

FÍGADO, PÂNCREAS, DUODENO E BAÇO

8. Mobilize o duodeno pela ressecção do peritoneu que une a parte descendente do duodeno ao rim direito e à parede posterior do abdome. Rebata o duodeno para a esquerda, juntamente com a cabeça do pâncreas (fig. 30). Identifique o *músculo suspensor do duodeno.*

Identifique as partes do pâncreas. Disseque as artérias do duodeno, do pâncreas e do baço, que nascem das artérias gastroduodenal, lienal e mesentérica superior. Verifique como é formada a veia porta.

Mobilize o *processo uncinado* do pâncreas para a direita, por trás dos vasos mesentéricos superiores e corte a veia (não a artéria) mesentérica superior (fig. 30). Complete a mobilização do pâncreas e dos vasos lienais cortando as artérias gástrica esquerda, hepática comum, lienal e pancreáticoduodenais inferiores perto de suas origens, e as artérias gastro-epiplóica esquerda e gástricas curtas próximo ao hilo do baço (fig. 31). Seccione, também, os ligamentos gastrolienal e lieno-renal. Corte a veia mesentérica inferior perto da flexura duodenojejunal. A seguir, corte as reflexões peritoneias do fígado, a começar do ligamento falciforme, e seccione os ligamentos triangulares e coronário. Corte a veia cava inferior ao nível da sua passagem pelo diafragma (fig. 32). Seccione a veia cava inferior atrás do forame epiplóico e corte o tecido conetivo e o músculo suspensor do duodeno atrás do pâncreas e do duo-

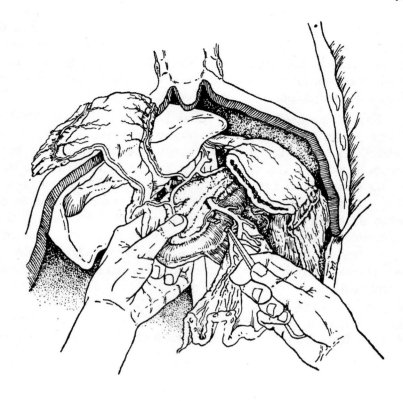

Figura 30. Mobilização e rebatimento do duodeno e do pâncreas e secção da veia mesentérica superior.

deno (fig. 33). Tendo libertado completamente o fígado do diafragma e a parede abdominal, retire-o com o baço, com a metade direita do estômago, com o duodeno, com o pâncreas e com parte da veia cava inferior.

Abra a parte descendente do duodeno anteriormente com uma incisão vertical. Identifique a *papila duodenal maior,* introduzindo uma sonda através da parede do colédoco, no lume do ducto, e em direção aboral, para o duodeno. A seguir, remova a sonda e passea-a no óstio da papila maior, de modo a penetrar na *ampola hépato-pancreática*. Agora passe a sonda para a esquerda no *ducto pancreático*. Deixe a sonda no ducto (para marcar sua localização), rebata o pâncreas e disseque o ducto pancreático e seus tributários. Abra o ducto, remova a sonda e verifique se um *ducto pancreático acessório* está presente e se êle se abre no duodeno numa *papila duodenal menor*.

Prolongue a incisão na parte descendente do duodeno, em todo o comprimento do duodeno, e estude a superfície mucosa, particularmente a presença ou ausência de *pregas circulares*.

Estude o fígado, suas faces, seus lobos, seus ligamentos, suas reflexões peritoneais, seus ductos e vasos sangüíneos. Remova o parênquima

Abdome

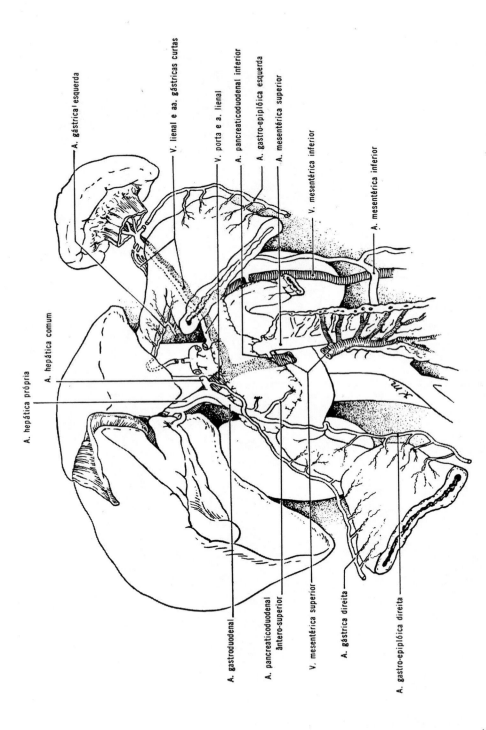

Figura 31. Secção dos vasos para remover o fígado, o pâncreas, o baço e a metade direita do estômago. A artéria pancreáticoduodenal inferior não foi cortada.

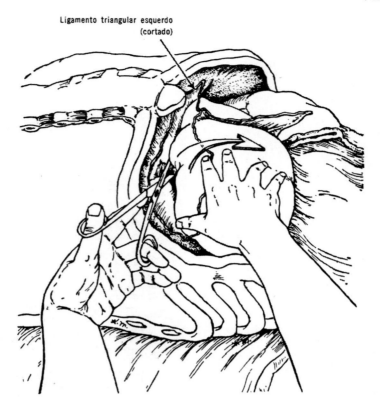

Figura 32. Depois de cortar o ligamento coronário, a veia cava inferior é também seccionada quando passa através do diafragma.

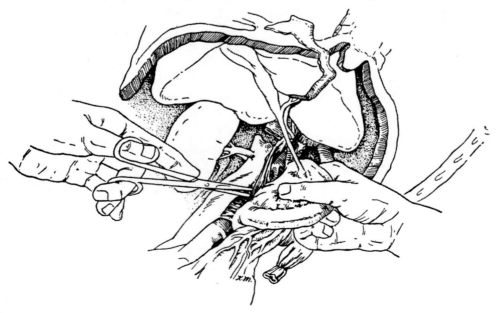

Figura 33. A veia cava inferior é cortada entre o fígado e as veias renais. O tecido conetivo e o músculo suspensor são separados do pâncreas e do duodeno.

Abdome

hepático necessário para verificar a disposição segmentar dos ductos e vasos. Localize as veias hepáticas, que afluem à veia cava inferior.

RINS E GLÂNDULAS SUPRA-RENAIS

9. Disseque os vasos gonadais (*testiculares* ou *ováricos*). Estude as relações peritoneais de cada rim. Remova o peritoneu e a *gordura para-renal* e determine a disposição da *fáscia renal*.

Disseque as *glândulas, artérias e veias supra-renais*. Localize o *plexo supra-renal* e os *gânglios aórtico-renais* e acompanhe suas conexões com o plexo e gânglios celíacos. Remova a fáscia renal que envolve a glândula supra-renal. Seccione a glândula. Se ela estiver bem conservada, deve ser possível, com o auxílio de uma lente manual, distinguir entre a *córtice,* mais pálida, e a *medula,* mais escura, e distinguir as camadas da córtice.

Remova a fáscia renal e a *gordura peri-renal*. Disseque os *vasos renais*. Ao mesmo tempo, determine o número de artérias segmentares que entram pelo hilo. Acompanhe o *ureter,* inferiormente, até a abertura superior da pelve. Determine se estão presentes quaisquer vasos renais acessórios. Abra um rim com uma secção longitudinal e o outro com uma secção transversal (fig. 34). Estude as superfícies de corte com o auxílio

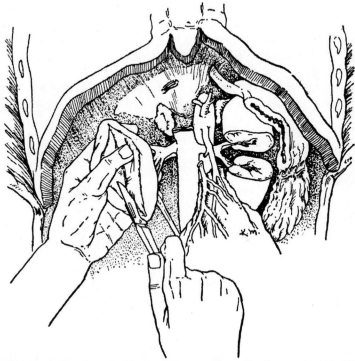

Figura 34. Seccionando longitudinalmente o rim direito e transversalmente o rim esquerdo.

de uma lente manual. Observe quaisquer indicações de lobação ou anomalias nas suas peças. Siga as artérias segmentares dentro do rim, retirando parênquima renal, e verifique a disposição dos seus ramos.

10. Localize o *tronco simpático,* os *gânglios lombares* e os *nervos esplâncnicos lombares.* Complete a dissecação dos gânglios e plexos celíacos. Localize os nervos esplâncnicos torácicos, ao perfurarem os *pilares do diafragma,* e acompanhe-os até o plexo. Identifique o plexo aórtico e sua continuidade inferior com o *plexo hipogástrico superior.* Identifique os linfonódios lombares.

Estude a aorta e seus ramos, particularmente a disposição do hiato aórtico do diafragma, as relações principais da aorta, a disposição de seus ramos viscerais e parietais, o número de *artérias lombares* e a origem da *artéria sacral mediana.*

Estude a veia cava inferior e suas tributárias, especialmente a disposição do forame da veia no diafragma, as principais relações da veia cava inferior, a disposição e as tributárias das veias renais e o número de veias segmentares. A dissecação das veias segmentares pode ser adiada até que seja dissecado o plexo lombar.

Disseque o diafragma, prestando particularmente atenção à disposição dos seus hiatos (verifique quais as estruturas que atravessam cada hiato), à disposição dos pilares e aos *ligamentos arqueados lateral, medial* e *mediano.* Verifique se um trígono vértebrocostal está presente e, se estiver, quais suas relações. Localize os trígonos esternocostais e verifique as estruturas que os atravessam. Disseque o *psoas maior,* o *psoas menor,* se estiver presente, o *quadrado lombar* e o *ílico.* Tenha cuidado para preservar os nervos que emergem das faces anterior, medial e lateral do psoas maior. Identifique os nervos que passam na frente do quadrado lombar.

Localize o ducto torácico no tórax. Acompanhe-o para baixo no abdome. Determine como êle é formado e se está presente uma *cisterna do quilo.*

PLEXO LOMBAR

11. Identifique os *nervos subcostal, ílio-hipogástrico, ílio-inguinal, gênitofemoral, cutâneo lateral da côxa, femoral* e *obturatório.* Acompanhe êstes nervos através do psoas maior até sua origem no *plexo lombar,* removendo, pouco a pouco, o psoas maior. Tenha cuidado para preservar as *veias lombares* e a *veia lombar ascendente* de cada lado e os ramos comunicantes entre os nervos lombares e o tronco simpático. Disseque os ramos comunicantes. Identifique o *tronco lombo-sacral* de cada lado. Complete a dissecação da veia lombar ascendente de cada lado e acompanhe-a para cima, através do diafragma, até sua junção com a veia subcostal. Determine como estão formadas as *veias ázigos* e *hemiázigos.*

PELVE E PERÍNEO

Cada estudante deve aprender, naturalmente, a anatomia da pelve de ambos os sexos.

REGIÃO GLUTEA

1. A fim de facilitar a dissecação da pelve e do períneo, disseca-se antes a região glutea. Coloque o cadáver em decúbito ventral e remova a cútis da nádega (fig. 35). Complete a dissecação dos *nervos superiores* e *médios da nádega* bem como dos *ramos laterais* dos *nervos subcostal* e *ílio-hipogástrico*. Procure, também, os *nervos inferiores da nádega* e o *nervo perfurante cutâneo,* à medida que êles se curvam ao redor da borda inferior do gluteu máximo.

Estude o *ligamento sacrotuberal* numa peça ou num molde de modo a aprender sua relação com o gluteu máximo. Disseque o *gluteu máximo*. Rebata-o, cuidadosamente, a partir de sua origem; assegure-se que o ligamento sacrotuberal será conservado. Corte o *nervo* e os *vasos*

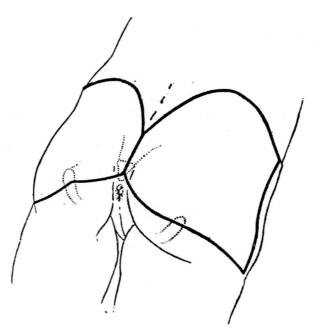

Figura 35. Linhas de incisão para retirada da cútis da região glutea. Os túberes isquiádicos e o cóccix são mostrados em pontilhado.

gluteus inferiores ao nível da sua penetração na face profunda do músculo e, a seguir, complete sua dissecação.

Disseque o *nervo isquiádico* e o *nervo cutâneo posterior da coxa* e verifique suas relações com o *piriforme,* que deve, então, ser dissecado. Identifique a *artéria satélite do nervo isquiádico.* Mais medialmente, disseque o *nervo para o obturatório interno* e, ainda mais medialmente, os *vasos pudendos internos* e o *nervo pudendo,* ao cruzarem a espinha isquiádica. Identifique a espinha.

Disseque o tendão do *obturatório interno,* os *gêmeos superior* e *inferior* e o *quadrado da coxa.* Localize o *nervo para o quadrado da coxa,* profundamente ao nervo isquiádico, mobilizando o piriforme, superiormente, e repuxando o nervo isquiádico, medialmente. A seguir, separe o gêmeo inferior do quadrado da coxa e acompanhe o nervo na face profunda do quadrado da coxa. Divida o quadrado da coxa de modo a expor o tendão do *obturatório externo.*

Localize a fáscia aponeurótica (aponeurose glutea) que cobre o gluteu médio e acompanhe-a anteriormente até o músculo tensor da fáscia lata, que ela inclui. Remova a aponeurose glutea, disseque o *gluteu médio* e rebata-o a partir de sua origem. Ao mesmo tempo, disseque o *nervo* e os *vasos gluteus superiores* e localize o ramo que o nervo gluteu superior fornece ao tensor da fáscia lata. Disseque o *gluteu mínimo.*

Note o nervo perfurante cutâneo atravessando o ligamento sacrotuberal. Divida o ligamento próximo do túber isquiádico e note seu processo falciforme.

REGIÃO ANAL

2. Acompanhe o *nervo pudendo* e a *artéria pudenda interna* no *canal pudendo* na parede lateral da *fossa ísquio-retal.* Remova a gordura do porção da fossa ísquio-retal posterior ao tuber isquiádico (fig. 36) mas tenha cuidado para preservar o nervo e os vasos retais inferiores que atravessam a fossa um tanto mais anteriormente para alcançar o canal anal.

Abra o canal pudendo cortando a *fáscia lunata* que forma suas paredes. Localize as origens da artéria retal inferior e da *artéria perineal* da pudenda interna. Localize as origens do nervo retal inferior, o *nervo perineal* e o *nervo dorsal do pênis* ou *da clítoris.*

Disseque o obturatório interno na parede lateral da fossa removendo a *fáscia lunata* e a fáscia obturatória subjacente. Passe um dedo para cima, ao longo da parede lateral, e note que êle é bloqueado pela inserção do *levantador do ânus* e suas fáscias de revestimento na fáscia obturatória. O levantador do ânus constitui a parede medial bem como o teto da fossa. Disseque a porção do *músculo esfíncter externo do ânus* que nasce do cóccix. Corte esta parte do esfíncter externo e identifique a porção pubo-retal do levantador do ânus, rodeando o reto.

Pelve e Períneo

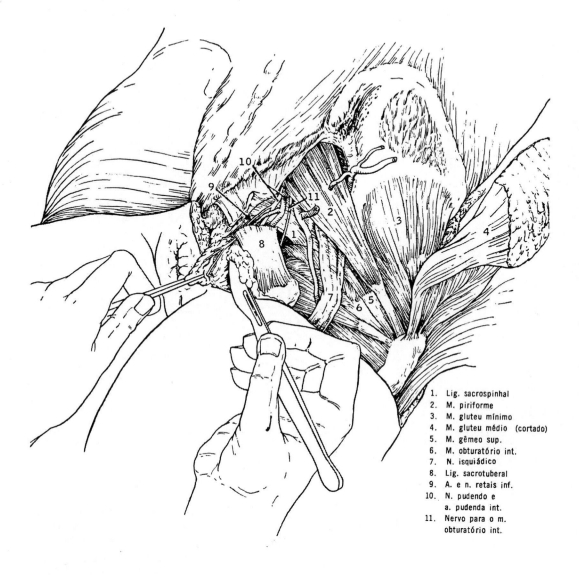

1. Lig. sacrospinhal
2. M. piriforme
3. M. gluteu mínimo
4. M. gluteu médio (cortado)
5. M. gêmeo sup.
6. M. obturatório int.
7. N. isquiádico
8. Lig. sacrotuberal
9. A. e n. retais inf.
10. N. pudendo e a. pudenda int.
11. Nervo para o m. obturatório int.

Figura 36. Algumas das estruturas da região glutea e o acesso para remover a gordura da fossa ísquio-retal.

REGIÃO UROGENITAL

3 e 4. Com o cadáver em decúbito dorsal, flexione os quadris e os joelhos e abduza os membros inferiores tanto quanto possível. Remova a cútis da região urogenital e do restante da região anal como está indicado nas figs. 37 e 38. Identifique o *centro tendíneo do períneo* (*corpo perineal*).

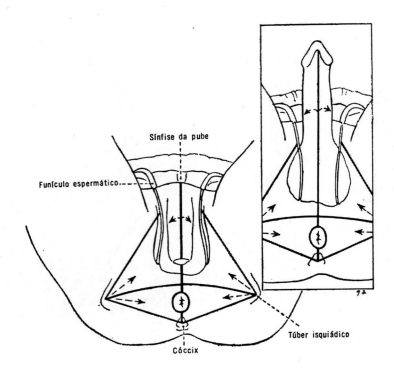

Figura 37. Linhas de incisão para a retirada da cútis do períneo masculino. As setas indicam a direção do rebatimento dos retalhos cutâneos. A cútis da região anal pode ser rebatida prèviamente.

CADÁVERES MASCULINOS. Estude os caracteres superficiais da genitália externa. Pratique uma incisão mediana através da *camada adiposa superficial* da *fáscia perineal superficial*. Afaste lateralmente o tecido adiposo e identifique a *camada membranácea profunda* da fáscia perineal superficial. A seguir, seccione, também, esta camada. Rebata os retalhos e identifique uma camada de fáscia mais profunda, a *fáscia perineal profunda*. Introduza um dedo entre as fáscias perineais superficial e profunda na parede do escroto e note a continuidade da fáscia superficial e do *dartos* do escroto. Note a ausência de gordura no dartos. Passe, agora, um dedo lateralmente, notando a inserção da camada membranácea nos ramos isquiopúbicos. Do mesmo modo, confirme que esta camada está fundida atrás com o centro tendíneo do períneo e com a *membrana perineal*.

Disseque os *nervos escrotais posteriores* (acompanhe-os posteriormente até o nervo perineal) e os *ramos perineais* do nervo cutâneo posterior da coxa. Disseque os ramos escrotais posteriores da artéria pudenda interna.

Pelve e Períneo

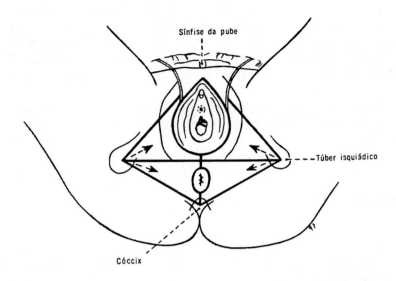

Figura 38. Linhas de incisão para a retirada da cútis do períneo feminino. As setas indicam a direção de rebatimento dos retalhos cutâneos.

Remova a fáscia perineal profunda. Disseque o *transverso superficial do períneo,* o *isquiocavernoso* e o *bulbo-esponjoso.* Divida o bulbo--esponjoso na linha mediana de modo a expor o *bulbo do pênis.* Identifique cada *ramo do pênis* ao rebater o músculo isquiocavernoso. Corte o *ligamento suspensor* do pênis. Disseque a *veia dorsal superficial do pênis* na fáscia superficial. Corte longitudinalmente a *fáscia profunda do pênis.* Rebata e disseque a *veia dorsal profunda do pênis,* as duas *artérias dorsais do pênis* e os *nervos dorsais do pênis.* Note que a veia dorsal profunda do pênis penetra na pelve logo abaixo da sínfise da pube. Incise a membrana perineal, abra o *espaço perineal profundo,* identifique o *transverso profundo do períneo* e a *artéria para o bulbo.* Corte o ramo do pênis de um lado e siga o nervo dorsal até o nervo pudendo. Faça duas secções transversas no pênis, uma perto da *glande* e a outra próximo ao bulbo; note a disposição dos 3 *corpos (cavernosos* e *esponjoso).* Examine as superfícies de corte com o auxílio duma lente manual.

Seccione a uretra acima do bulbo e observe o *músculo esfíncter da uretra,* circundando a parte membranácea da uretra. Observe novamente, as artérias dorsais e os nervos dorsais no espaço perineal profundo. Introduza um dedo e dirija-o para a frente na fossa ísquio-retal acima do *diafragma urogenital* para demonstrar o recesso anterior da fossa ísquio--retal. Procure a *glândula bulbo-uretral* na espessura do músculo esfíncter da uretra, pósterolateralmente à parte membranácea da uretra.

CADÁVERES FEMININOS. Estude os caracteres superficiais da genitália externa. Incise e rebata a fáscia perineal superficial lateralmente aos lábios menores. Disseque os *nervos* e as *artérias labiais posteriores* e acompanhe-os até seus troncos de origem. Rebata a fáscia perineal profunda e procure o *transverso superficial do períneo,* o *isquiocavernoso* (que cobre o ramo da clítoris) e o *bulbo-esponjoso.* Remova os dois últimos músculos e exponha o *ramo da clítoris* e o *bulbo do vestíbulo.* Disseque o *ligamento suspensor da clítoris* e as partes constituintes do *corpo da clítoris.*

Procure os *músculos transverso profundo do períneo* e *esfíncter da uretra.* Identifique a *glândula vestibular maior* imediatamente atrás e acima do bulbo.

SECÇÃO MEDIANA DA PELVE

5.   Divida o corpo em partes superior e inferior, de modo seguinte: localize a 12ª costela, e por meio dela, a 12ª V. T. Corte a aorta, os pilares do diafragma, o disco intervertebral entre a 12ª V. T. e a 1ª V. L. (fig. 39). Conduza esta incisão lateralmente ao longo da linha indicada na fig. 39.

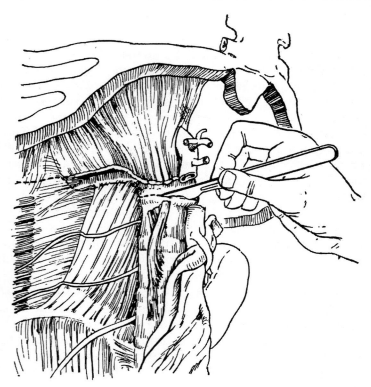

Figura 39. Começando a secção do corpo pelo corte do disco intervertebral. A linha tracejada indica a extensão lateral da incisão, que é repetida no lado esquerdo da coluna vertebral.

Pelve e Períneo

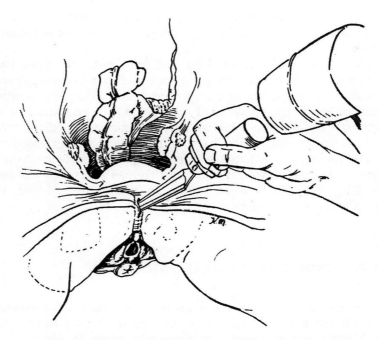

Figura 40. Desarticulando a sínfise da pube.

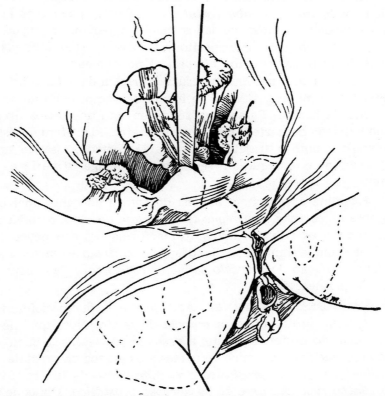

Figura 41. Seccionando os órgãos pelvinos antes de fazer a secção mediana da pelve.

O cone medular deve ser seccionado. Complete a separação dos músculos abdominais da caixa torácica. Deixe os rins e os ureteres em continuidade com a bexiga urinária.

Identifique os ligamentos da sínfise da pube. Observe a veia dorsal profunda do pênis ou da clítoris, penetrando na pelve abaixo do *ligamento arqueado da pube,* com os *nervos cavernosos* do pênis ou da clítoris. Note, também, o *ligamento perineal transverso,* a borda anterior da membrana perineal. Desarticule a sínfise da pube cortando o *disco interpúbico* com um escôpro, de cima para baixo (fig. 40). A seguir, começando na frente e usando uma faca longa e afiada, faça um corte exatamente mediano através de cada uma das vísceras pelvinas e através das estruturas perineais (fig. 41). Finalmente, serre no plano mediano as vértebras lombares, o sacro e o cóccix.

ÓRGÃOS PELVINOS E ESTRUTURAS ASSOCIADAS

6. Estude as relações peritoneais do reto e da bexiga urinária (bem como as do útero e da vagina), incluindo as correspondentes escavações e pregas. Estude, especialmente, o *ligamento largo do útero.*

Afaste posteriormente a bexiga e abra o espaço retropúbico. Identifique os *ligamentos puboprostáticos (pubocervicais)* e os ligamentos laterais da bexiga. Remova cuidadosamente o peritoneu, expondo assim a *fáscia pelvina,* no plano extraperitoneal. Observe suas *lâminas visceral* e *parietal.* Identifique o *septo reto-vesical* no homem.

Acompanhe o ureter, que cruza a origem da *artéria ilíaca externa* até a bexiga (na mulher, através do fórnix da vagina). Examine a superfície interna da bexiga. Passe uma sonda em um dos *óstios uretéricos* e note a obliquidade da parte intramural do ureter. Identifique o *óstio interno da uretra* e note o trajeto da uretra já cortada. Usando uma lente manual, examine e disseque um segmento da bexiga urinária e, também, do ureter.

Examine a superfície interna do reto e do canal anal com uma lente e note as *colunas,* as *pregas transversais do reto,* a *linha pectínea,* os *seios anais* e as *válvulas anais* (estas formações são pouco evidentes em cadáveres embalsamados). Identifique o *músculo esfíncter interno do ânus.* Note a relação do *músculo esfíncter externo do ânus* com o centro tendíneo do períneo.

CADÁVERES MASCULINOS. Acompanhe o ducto deferente desde o ânulo inguinal profundo até a *ampola* do ducto. Note que êle cruza a parte terminal do ureter. Disseque a *vesícula seminal,* seu *ducto excretor* e o *ducto ejaculatório.* Examine as partes e os ductos da próstata. Observe os caracteres das *partes prostática* e *membranácea* da uretra. Identifique o *plexo venoso prostático* e o *plexo nervoso prostático.* Disseque a terminação da veia dorsal profunda do pênis.

Incise a *túnica vaginal do testículo*. Localize o *epidídimo*, o *seio do epidídimo* e o *apêndice do testículo*. Seccione o testículo e note a espêssa *túnica albugínea* e o *mediastino do testículo*. Usando uma lente manual separe os *lóbulos do testículo* com uma pinça fina, identifique os *túbulos seminíferos contorcidos* e *retos* e a *rêde do testículo*. Do mesmo modo, separe o testículo e o epidídimo na sua junção e identifique os *dúctulos eferentes do testículo* e os *lóbulos do epidídimo* que constituem a *cabeça do epidídimo*. Em seguida, acompanhe o *ducto do epidídimo* na *cauda do epidídimo* e confirme que a cauda e o *corpo* consistem dum só ducto do epidídimo enovelado.

CADÁVERES FEMININOS. Na mulher idosa, o *útero* e os *ovários* mostram grande involução e muitos dos caracteres vistos na jovem adulta normal estão modificados ou ausentes. Identifique as partes do útero. Note a relação do eixo da cérvix com o da vagina e com aquele do corpo do útero. Note a relação do útero e da vagina com o reto e o canal anal e observe, também, que a uretra está fundida com a parede anterior da vagina. Acompanhe o *ligamento redondo* do útero através do canal inguinal até o lábio maior. Siga os vasos e o plexo nervoso ováricos no *ligamento suspensor do ovário*. Disseque o *ligamento ovárico*.

Com o auxílio duma lente manual, procure o *epoóforo*. Disseque a *artéria uterina* e o *plexo nervoso úterovaginal,* dentro da sua bainha neurovascular (o ligamento cervical lateral). Estude a importante relação da artéria uterina com o ureter. Disseque os ramos da artéria uterina.

Disseque o ligamento útero-sacral (reto-uterino) e identifique o *plexo nervoso hipogástrico inferior* na sua espessura.

Passe uma sonda através do óstio uterino da *tuba uterina* e identifique as partes da tuba. Seccione a tuba e examine a superfície de corte transversal com o auxílio duma lente manual. Remova um segmento da parede do útero e disseque as túnicas. Seccione o ovário e examine a superfície de corte com o auxílio duma lente manual.

7. Disseque a *artéria ilíaca externa* e seus ramos. Determine se o *ramo púbico da artéria epigástrica inferior* substitui a *artéria obturatória*.

Disseque o *plexo hipogástrico inferior* e os *nervos esplâncnicos pelvinos*. Disseque os ramos da *artéria ilíaca interna* e determine seu tipo de origem.

8. Disseque o *plexo sacral* e seus ramos.

Identifique a fáscia obturatória na frente da origem do levantador do ânus. Disseque o piriforme e o coccígico. Identifique as *fáscias superior* e *inferior do diafragma pelvino*. As partes do levantador do ânus podem ser agora dissecadas e determinada sua relação com os órgãos pelvinos, com o centro tendíneo do períneo, com o canal anal e com a fossa ísquio-retal. Identifique o *arco tendíneo da fáscia pelvina* e o *arco tendíneo do levantador do ânus* (o último pode estar ausente). Note a relação entre os diafragmas pelvino e urogenital e re-explore o recesso anterior da fossa ísquio-retal.

CABEÇA E PESCOÇO

COURO CABELUDO, MENINGES, ENCÉFALO E NERVOS CRÂNICOS

1.   Estude as camadas do couro cabeludo e, em seguida, proceda à retirada da cútis do mesmo (fig. 42). Complete a dissecação do nervo

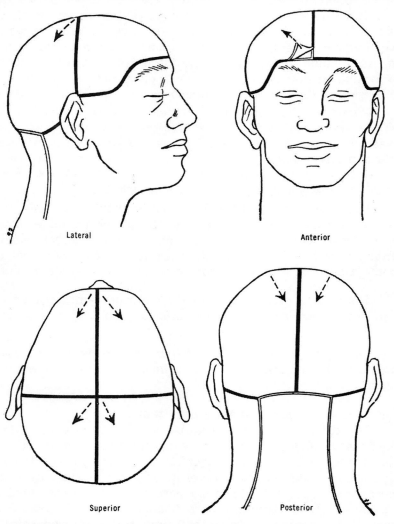

Figura 42. Linhas de incisão para a retirada da cútis do couro cabeludo.

occipital maior e dos vasos occipitais. Localize a *artéria temporal superficial* e o *nervo auriculotemporal* logo adiante do meato acústico externo, emergindo de situação profunda em relação à glândula parótida, e a *artéria auricular posterior,* atrás da orelha; disseque essas estruturas. Corte as camadas restantes do couro cabeludo no plano mediano, aprofundando até o plano ósseo, desde o nasion, e, seguindo posteriormente, até o inion. Faça uma incisão unindo as orelhas, no plano frontal. Rebata os 4 retalhos da calvária (fig. 43), usando um formão para levantar o pericrânio. Observe o *pericrânio*. A parte superior de cada *músculo temporal* e a fáscia devem ser levantadas pela raspagem do osso. Identifique e separe as camadas do couro cabeludo num dos retalhos (fig. 43), particularmente o *epicrânio* e a *gálea aponeurótica*.

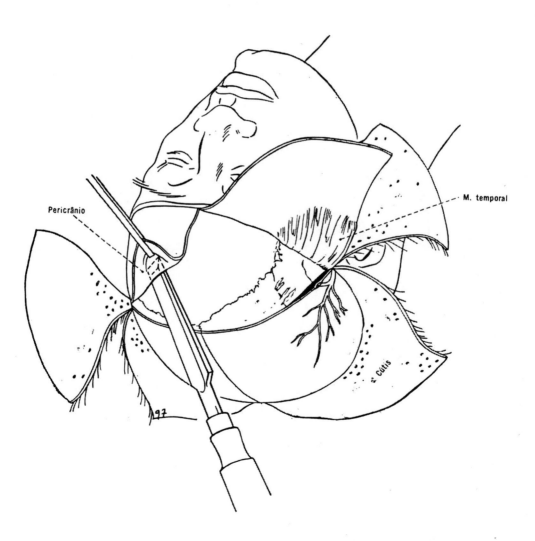

Figura 43. Rebatendo os retalhos de couro cabeludo da calvária.

2. Serre a calvária segundo um plano horizontal, cêrca de 1 cm acima do nível das margens supra-orbitais (fig. 44). Ao serrar, será encontrada a díploe, mais mole. A seguir, cuidado deve ser tomado, especialmente, nas regiões temporais, onde o osso é delgado, para que a serra não lese o encéfalo. Use um escôpro ou formão para separar as superfícies serradas (fig. 45). Afaste a dura-máter, gradativamente, do osso, separe-a de modo a permitir a retirada da calvária.

Identifique os *vasos meníngicos médios,* as *granulações aracnoídeas* e o *seio sagital superior.* Abra o seio duma à outra extremidade. Note suas *lacunas laterais* e os óstios das veias cerebrais. Observe as *veias*

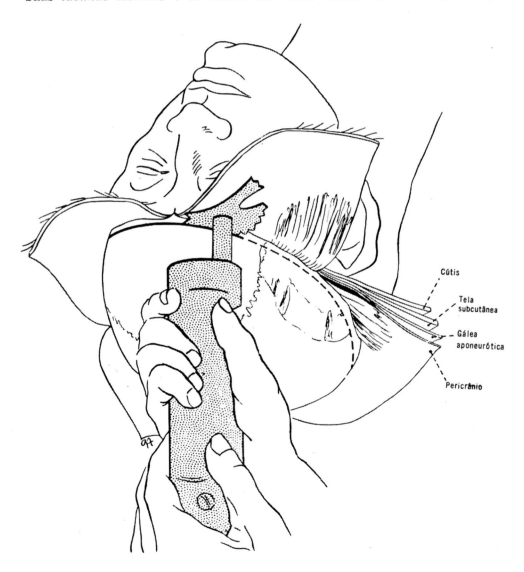

Figura 44. Serrando a calvária. Um retalho mostra as camadas do couro cabeludo (não é mostrado o tecido subaponeurótico).

Cabeça e Pescoço

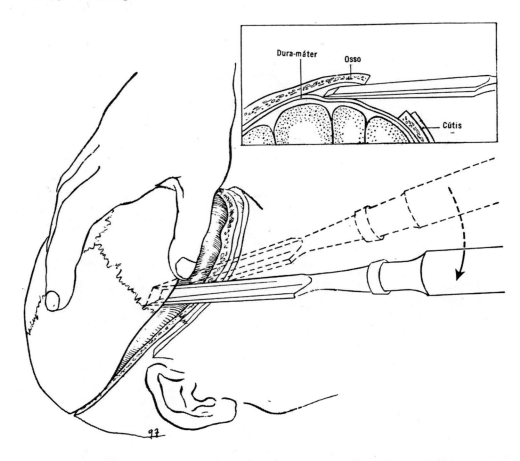

Figura 45. Removendo a calvária. A figura complementar mostra como o escôpro é utilizado para separar a dura-máter da calvária nas bordas do corte de serra.

emissárias parietais afluindo a êle. Corte, com cuidado, a dura-máter em cada lado do seio, paralelamente ao seio, de diante para trás (fig. 46). A seguir, faça um corte frontal, de cada lado, entre as orelhas. Rebata os retalhos. Note a pia-aracnóide e os vasos nela contidos recobrindo o encéfalo. Corte as veias que afluem ao *seio sagital superior* e seccione a inserção da *foice do cérebro* na *crista galli*.

Reconheça o *sulco central* e o *sulco lateral*. Localize as *artérias cerebrais anterior* e *média,* direitas e esquerdas. Separe, cuidadosamente, cada artéria cerebral anterior da face medial do hemisfério correspondente e disseque-a em direção à sua origem. Disseque cada artéria cerebral média na profundidade do sulco lateral e prossiga em direção à origem da artéria (fig. 47). Um corte mediano é feito entre os 2 hemisférios, através do *corpo caloso*. É difícil fazer um corte exatamente mediano e pode ser atingido um *ventrículo lateral* (fig. 48). Neste ventrículo, identifique o *plexo corióide* e o *forame interventricular*. O corte

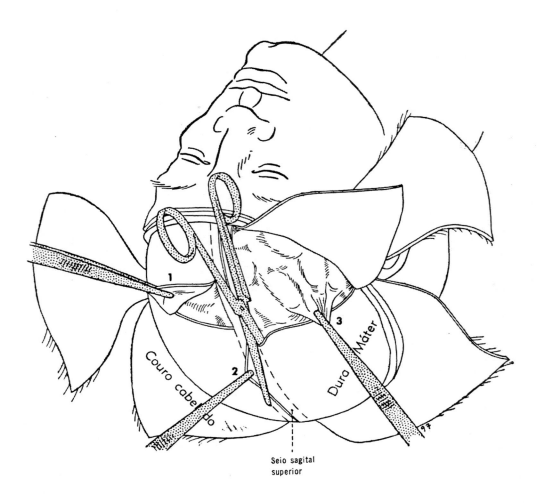

Figura 46. Rebatendo a dura-máter. Uma pinça está agarrando a dura-máter (1), o seio sagital superior aberto (2) e a aracnóide e a pia-máter (3).

mediano é prolongado inferiormente, através do 3º ventrículo, até o nível do *quiasma óptico,* na frente, e o *corpo pineal,* atrás (fig. 49). De novo, devido à dificuldade de fazer um corte precisamente mediano, um ou ambos os *fórnices* podem ser seccionados. A seguir, corte cada um dos *tractos ópticos.* Finalmente, remova o hemisfério cerebral esquerdo cortando o pedúnculo cerebral em sentido médiolateral como está indicado na fig. 50 ou cortando em sentido láteromedial como está indicado na fig. 51. A escôlha do método é determinada pela dureza do encéfalo resultante do embalsamamento. A artéria cerebral posterior esquerda deve ser identificada, separada do cérebro e dissecada em direção à sua origem. A remoção do hemisfério produz a ruptura dos *nervos olfa-*

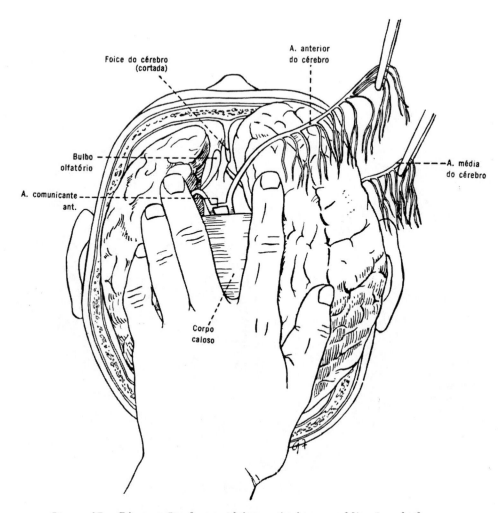

Figura 47. Dissecação das artérias anterior e média do cérebro.

tórios ao penetrarem no bulbo. Os caracteres da face medial do hemisfério direito são agora evidentes. A seguir, identifique a artéria cerebral posterior direita, separe-a do cérebro e disseque-a em direção à sua origem. O hemisfério direito é, então, removido, após secção do pedúnculo cerebral, quer pela via de acesso medial, quer pela lateral. A retirada de ambos os hemisférios deve deixar, relativamente intato, sôbre o crânio o *círculo arterial*.

Remova o restante da pia-aracnóide. Complete o estudo dos sulcos e giros. Identifique os lobos do cérebro. Um dos hemisférios deve ser cortado em fatias, num plano frontal, com intervalos de 1/2 cm. Reconheça o ventrículo lateral e as estruturas principais do interior do encéfalo, particularmente, o *tálamo,* o *hipotálamo,* o *núcleo caudado* e o *núcleo lentiforme.*

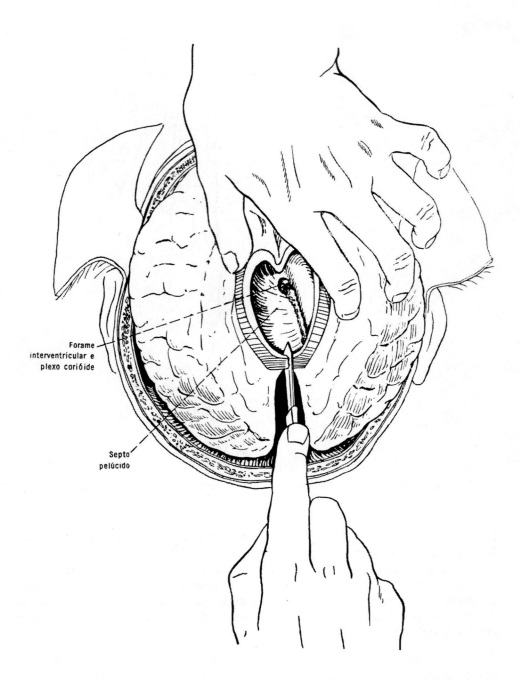

Figura 48. Seccionando o corpo caloso por um corte que penetra no ventrículo lateral direito.

Cabeça e Pescoço

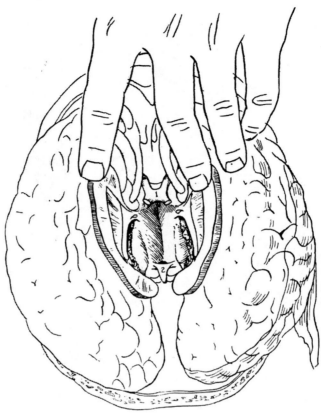

Figura 49. Secção mediana de um cérebro, aprofundada até o soalho do terceiro ventrículo, até o nível do quiasma óptico (1), na frente, e do corpo pineal (2), atrás.

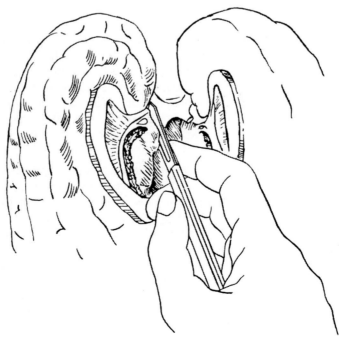

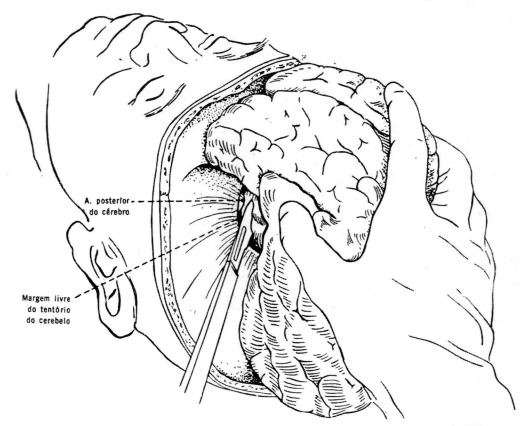

Figura 51. Seccionando o pedúnculo do cérebro, em sentido láteromedial, acessível pela elevação do hemisfério.

3. Note a continuidade angular da *foice do cérebro* com o *tentório do cerebelo*. Localize o *seio sagital inferior* na borda livre da foice do cérebro. Abra o *seio reto*. Identifique a *veia magna do cérebro* e suas tributárias e note a desembocadura da veia no seio reto. Localize os dois *seios transversos*. Note como o tentório forma uma *incisura do tentório* para o mesencéfalo. Note, também, que, anteriormente, êle está inserido nos processos clinóides anterior e posterior. Abra o *seio petroso superior*.

Observe o soalho do *3º ventrículo* atrás do quiasma óptico e a extremidade superior do aqueduto cerebral no mesencéfalo. Corte os nervos ópticos e remova, cuidadosamente, o tecido atrás do quiasma óptico de modo a expor e seccionar o *pedúnculo hipofisário*. Todos os componentes principais do círculo arterial, juntamente com as estruturas adjacentes importantes, acham-se agora expostas (fig. 52). Identifique o *diafragma da sela,* seccione-o na periferia da sela túrcica e retire a *hipófise*. Se fôr removida parte suficientemente grande dessa glândula e se ela estiver bem fixada, faça nela um corte mediano e estude suas partes com uma lente manual.

Cabeça e Pescoço

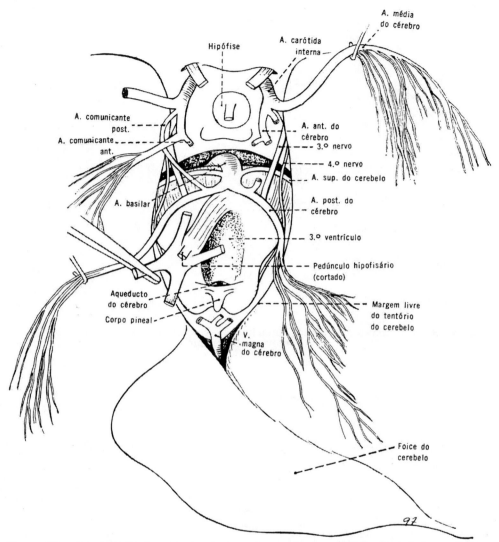

Figura 52. As principais estruturas da base do encéfalo. O quiasma óptico está afastado para trás.

4. Remova o reto posterior menor da cabeça e os músculos do trígono suboccipital. Retire a *membrana atlanto-occipital posterior*, preservando as artérias vertebrais. Afaste a dura-máter da frente do arco posterior do atlas e, com uma pinça ossívora, corte o arco de cada lado, logo atrás da artéria vertebral, e remova-o. Em seguida, remova o arco posterior do áxis. Retire uma área, em forma de V, da parte posterior do crânio, serrando de acôrdo com a indicação da fig. 53. Dirigindo-se de baixo para cima, corte a dura-máter no plano mediano, prolongando a secção superiormente até a *foice do cerebelo*. Separando com cuidado a aracnóide da dura-máter, ao iniciar o corte, pode ser possível demons-

Cabeça e Pescoço

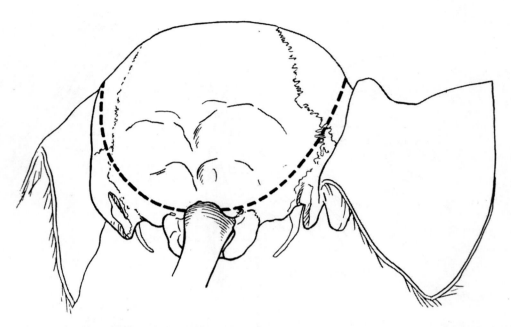

Figura 53. As linhas tracejadas indicam os cortes para a remoção da porção posterior do crânio.

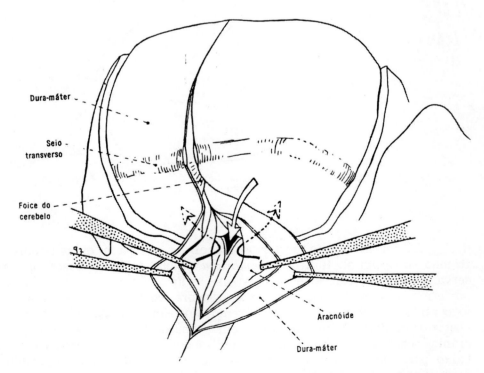

Figura 54. Exposição da cisterna cerebelomedular (setas tracejadas) e abertura mediana do 4º ventrículo (seta contínua).

Cabeça e Pescoço

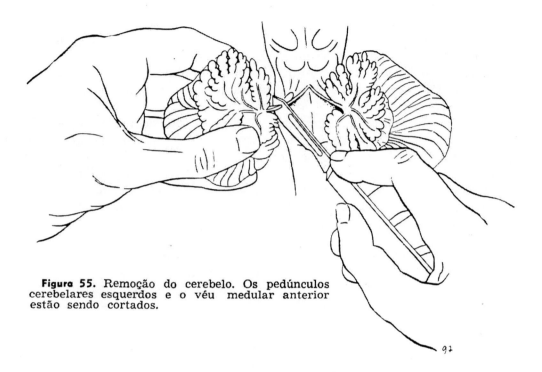

Figura 55. Remoção do cerebelo. Os pedúnculos cerebelares esquerdos e o véu medular anterior estão sendo cortados.

trar intata a *cisterna cerebelomedular* (fig. 54). Com o cavo subaracnoídeo aberto, observe a *abertura mediana* no teto do 4º *ventrículo*.

Identifique as *artérias superior do cerebelo, inferior e posterior do cerebelo e espinhal posterior*. Remova o cerebelo, fazendo, de início, um corte mediano através dêle até o 4º ventrículo e, a seguir, seccionando os *pedúnculos cerebelares* e o véu medular anterior (fig. 55).

Estude as partes do tronco encefálico e do 4º ventrículo. Note que a dura-máter crânica está fixada no forame magno, onde a camada externa da dura-máter é contínua com o periósteo da superfície externa do osso occipital. Identifique os dois *seios sigmóides*.

5. Identifique os *nervos óculomotores*. Siga os *nervos trocleares* desde sua emergência no dorso do tronco encefálico, ao redor e para a frente na borda livre do tentório. Localize as origens dos *nervos trigêmeos*. Identifique o *nervo facial,* o *nervo vestíbulococlear* e a *artéria do labirinto,* os quais penetram no meato acústico interno. Note os filamentos das *raízes espinhais* dos *nervos acessórios,* nascendo da parte superior da medula cervical, entre as raízes ventral e dorsal. Acompanhe superiormente as raízes espinhais dos nervos acessórios até sua junção com *raízes crânicas,* que nascem da *medula oblonga.* Logo acima dêstes filamentos estão aquêles dos *nervos vago e glossofaríngico.* Note o nervo glossofaríngico atravessando um óstio separado na dura-máter.

Corte os nervos crânicos 3, 4, 5, 7, 8, 9, 10 e 11 ao nível de suas emergências do tronco encefálico. Corte as raízes dorsais e ventrais dos nervos espinhais cervicais junto à medula espinhal, em sentido caudal, até a secção horizontal da intumescência cervical. A seguir, afaste, ligeiramente, o tronco encefálico do osso basi-occipital de modo a localizar os *nervos abducentes* que emergem da face ventral do tronco do encéfalo. Identifique as *artérias inferior anterior do cerebelo* e *espinhal anterior*. Seccione os nervos abducentes e os vasos sangüíneos que penetram no tronco encefálico mas respeite as *artérias vertebral* e *basilar*. Afaste o tronco encefálico ligeiramente para um e outro lado de modo a expor e cortar as radículas do *nervo hipoglosso* ao emergirem da medula oblonga. Remova o tronco encefálico.

6. Acompanhe anteriormente o nervo óculomotor, na parede lateral do *seio cavernoso*. Corte a dura-máter ao longo do seu trajeto e siga o nervo na fissura orbital superior. Acompanhe o nervo troclear até a fissura orbital superior, seguindo-o na parede lateral do seio cavernoso.

Corte transversalmente o seio petroso superior onde o nervo trigêmeo penetra no *cavo trigeminal*. Corte e retire o teto dêste cavo de modo a expor o *gânglio trigeminal*. Retire a dura-máter da frente do gânglio e acompanhe anteriormente o *nervo oftálmico,* na parede lateral do seio cavernoso, abaixo dos nervos óculomotor e troclear, até a fissura orbital superior. Siga o *nervo maxilar* até o forame redondo e o *nervo mandibular* até o forame oval. Levante o gânglio trigeminal e sua *raiz sensitiva* de modo a localizar a *raiz motora* do nervo trigêmeo. Acompanhe a raiz motora até o forame oval.

Procure, na dura-máter, profundamente ao gânglio trigeminal, o *nervo petroso maior,* no seu trajeto do hiato do canal facial até o forame lácero, onde êle se junta ao *nervo petroso profundo* do *plexo carótico interno*. Pouco mais anterior e lateralmente, pode ser encontrado o *nervo petroso menor* (paralelo ao nervo petroso maior) à medida que êle se dirige para o forame oval. Os nervos petrosos são pequenos e difíceis de encontrar.

Acompanhe para a frente o nervo abducente, através do seio cavernoso, lateralmente à artéria carótida interna, até a fissura orbital superior. Estude a forma e o trajeto da artéria carótida interna e determine quais os ramos que ela emite. De modo especial, localize a *artéria oftálmica*. Remova a dura-máter da fossa média do crânio e localize a *artéria meníngica média,* que tem acesso à fossa através do forame espinhoso. Identifique seus dois ramos principais.

Cabeça e Pescoço

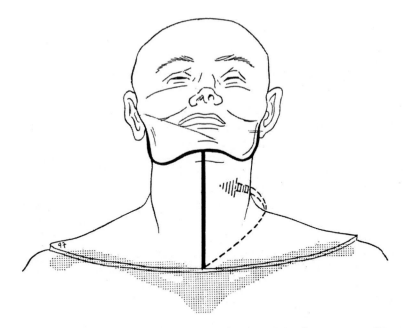

Figura 56. Linhas de incisão para a retirada da cútis do pescoço. O manúbrio, as clavículas e as primeiras costelas são mostrados pelo pontilhado.

TRÍGONO ANTERIOR E POSTERIOR

7. Remova a cútis do pescoço de acôrdo com a indicação da fig. 56. Note a extensão do *platisma*. Seus nervos podem ser encontrados inferiormente ao ângulo da mandíbula, perto da *veia jugular externa* e da *glândula parótida*. Rebata o músculo em direção à mandíbula. Durante o rebatimento tenha cuidado para não cortar os nervos cutâneos. Disseque a veia jugular externa, a *veia jugular anterior* e uma veia comunicante ao longo da borda anterior do músculo esternoclidomastoídeo. Note particularmente a variabilidade dessas veias.

Corte a fáscia ao longo do 1/4 superior da borda posterior do esternoclidomastoídeo e disseque o *nervo occipital menor*. Acompanhe-o para baixo e, perto de sua extremidade inferior, localize e disseque os *nervos auricular magno* e *transverso do pescoço*. Complete a dissecação dos *nervos supraclaviculares*.

8. À medida que as estruturas no pescoço são dissecadas, tenha presentes as camadas fasciais cervicais (*superficial* ou *de revestimento, prétraqueal, bucofaríngica, bainha carótica* e *prévertebral*) e estude sua relação com os órgãos.

Localize o nervo acessório seguindo o nervo occipital menor, que forma um gancho ao seu redor. Acompanhe o nervo acessório no trígono posterior, a seguir, profundamente ao músculo trapézio. Procure os nervos do *plexo cervical* que se unem ao nervo acessório ou que penetram separadamente no trapézio. Não confunda êstes ramos com os nervos supraclaviculares. Disseque o *músculo esternoclidomastoídeo*. Rebata-o a partir do crânio. Tenha cuidado para não cortar o *músculo omo-hioídeo* infrajacente. Pode ser necessário cortar os nervos cutâneos e a veia jugular externa.

Identifique a *alça cervical* no seu trajeto sôbre a bainha carótica e determine sua formação. Localize seus ramos para os músculos infra-hioídeos. A alça é variável e pode estar ausente. Remova com cuidado a *bainha carótica* até a bifuração da carótida. À esquerda, observe o *ducto torácico* posteriormente à bainha, próximo à junção das veias jugular interna e subclávia. Note a cadeia de *linfonódios cervicais profundos* ao longo da veia jugular interna. Verifique, se houver, as tributárias da *veia jugular interna*. Determine o nível de bifurcação da *artéria carótida comum*. Disseque o *nervo vago* e seu *ramo cardíaco cervical*, se presente; os gânglios vagais e seus ramos serão dissecados ulteriormente. Localize o *tronco simpático cervical* na fáscia prévertebral, atrás da bainha carótica. Disseque o tronco e verifique quais os gânglios que estão presentes; identifique a *alça subclávia*. O gânglio simpático cervical superior e seus ramos serão dissecados ulteriormente.

9 e 10. Note o tendão intermédio do músculo omo-hioídeo e como seu ventre inferior divide o trígono posterior nos trígonos supraclavicular e occipital. Se necessário, rebata o músculo omo-hioídeo (observe sua inervação) e remova a fáscia do trígono supraclavicular. Disseque o *nervo frênico*, o *escaleno anterior*, a *veia* e a *artéria subclávia*. Procure o *nervo frênico acessório*. Disseque o *tronco tireocervical* e seus ramos (a *artéria transversa do pescoço*, a *suprascapular* e a *tireoídea inferior*) e a *artéria escapular descendente*. Localize a *artéria cervical ascendente*, ramo da artéria tireoídea inferior. Verifique se existe um *gânglio cervical médio* e, no caso de estar presente, qual é a sua relação com a artéria tireoídea inferior. Localize as origens da *artéria torácica interna* e o *tronco tireocervical*. Complete a dissecação da *artéria intercostal suprema* e disseque o início da *artéria cervical profunda*.

Complete a dissecação do *plexo braquial* (note a fáscia prévertebral que o envolve) e observe sua relação com a artéria subclávia e com os músculos escalenos anterior e médio. Identifique o *tronco superior* e note a origem do nervo suprascapular. Complete a dissecação do *músculo subclávio* e note sua inervação. Complete a dissecação do músculo levantador da escápula. Disseque o *plexo cervical* e determine a origem dos ramos que já foram dissecados.

11. Procure o *arco venoso jugular* no espaço suprasternal. Disseque os músculos infra-hioídeos e localize sua inervação, proveniente da alça cervical; alcance-os pelas bordas laterais. Note sua fáscia. Divida e rebata os *músculos esterno-hioídeo* e *esternotireoídeo* para expor a glândula tireoídea. Note sua fáscia. Disseque os *lobos* e o *istmo* e verifique as relações da glândula. Disseque seus vasos sangüíneos. Determine se

Cabeça e Pescoço

está presente o *lobo piramidal*. Identifique os *ramos externo* e *interno* do *nervo laríngico superior* e determine sua relação com a *artéria tireoídea superior*. Divida o istmo; passe um estilete ao longo do lado da traquéia e levante o nervo laríngico recorrente. Observe sua relação com a glândula e com a artéria tireoídea inferior. Note, então, o *cricotireoídeo* e sua inervação. Localize as *glândulas paratireoídeas*.

Identifique os ligamentos das articulações esternoclaviculares. Abra cada uma das articulações e verifique a forma e as inserções do *disco articular*.

FACE E REGIÃO PAROTÍDICA

12. Remova com cuidado a cútis da face como está indicado na fig. 57. Disseque o *orbicular do ôlho*, o *orbicular da bôca* e o *zigomático maior*. Disseque a *artéria* e a *veia faciais* e note os ramos da artéria. Disseque os *vasos* e *nervos supra-orbitais* e *supratrocleares* e os *nervos zigomáticofacial* e *zigomáticotemporal* emergindo através dos respectivos forames. O *ramo nasal externo* do *nervo etmoidal anterior* é encontrado na face lateral da parte cartilagínea do nariz. Levante o *levantador do lábio superior* e identifique o *nervo* e os *vasos infra-orbitais*. Corte o *mental* e identifique o *nervo* e os *vasos mentais*, emergindo do forame mental logo abaixo dos dentes prémolares. Localize o *nervo bucal*, profundamente ao *corpo adiposo da bochecha*, junto ao músculo bucinador. Note a disposição plexiforme que êle forma com os *ramos bucais* do nervo facial. Note, também, os ramúsculos que perfuram o músculo bucinador.

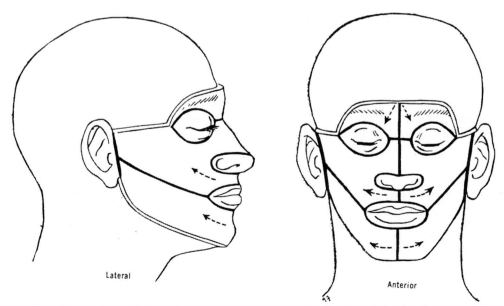

Figura 57. Linhas de incisão para a retirada da cútis da face.

13. Observe que a lâmina de revestimento da fáscia cervical cobre a glândula parótida, desdobra-se para envolver a glândula submandibular e cobre os trígonos submandibular e submental. Corte e levante a fáscia da superfície da glândula parótida. Disseque o *ducto parotídico*, notando a *artéria facial transversa*. Note eventual parênquima parotídico acessório ao longo do ducto. Note a relação do nervo auriculotemporal, da *artéria carótida externa* e da veia retromandibular com a glândula. Localize *linfonódios parotídicos*. Disseque as origens das *artérias occipital, auricular posterior, maxilar* e *temporal superficial*.

Disseque os ramos bucais do nervo facial, próximo ao ducto parotídico, e acompanhe-os posteriormente no sentido da glândula. Use êstes ramos como ponto de partida para dissecar o *nervo facial*. Use sòmente pinça e estilete para separar e levantar, aos poucos, os fragmentos da glândula parótida, para localizar os *troncos têmporofacial* e *cérvicofacial*, os quais, usualmente, situam-se profundamente à parte superficial da glândula. Dêste modo, o *plexo parotídico* pode ser dissecado. Note a relação da veia retromandibular com os dois troncos principais do nervo facial. Tenha cuidado para preservar o ventre posterior do *músculo digástrico*.

DESARTICULAÇÃO DAS ARTICULAÇÕES ATLANTO-AXIAIS E SECÇÃO MEDIANA DA CABEÇA E DO PESCOÇO

14. Inicie com um corte mediano, remova a dura-máter deixada na região cervical do canal vertebral (fig. 58A). Siga para cima o *ligamento longitudinal posterior* até continuar-se com a *membrana tectória*. Corte, cuidadosamente, esta membrana e o ligamento transverso do atlas (fig. 58 A, B). Exponha e corte os *ligamentos alar* e *atlanto-axiais acessórios* (fig. 58C). Com dissecação grosseira, passe seus dedos atrás dos grandes vasos do pescoço, da faringe e do esôfago, e na frente dos músculos prévertebrais. Continue para cima a separação, no sentido da base do crânio, e para baixo, no sentido do tórax. Afaste os vasos, os nervos e a faringe para a frente e coloque um estilete ou uma pinça entre êles e as vértebras (fig. 59). Introduza um escôpro estreito entre o dente e o arco anterior do atlas (fig. 59). Aumente o intervalo entre os ossos forçando com o escôpro. A seguir, corte as cápsulas das *articulações atlanto-axiais*, a artéria vertebral, o longo da cabeça e o ligamento longitudinal anterior. Disseque o *gânglio cervical superior* do *simpático* e seus ramos comunicantes para os nervos cervicais. Corte o tronco simpático logo abaixo do gânglio. Tenha cuidado para não cortar a artéria carótida interna, a veia jugular interna ou qualquer dos últimos quatro nervos crânicos. Os músculos prévertebrais, o plexo cervical e a coluna vertebral devem ser, agora, separados da cabeça e do resto do pescoço (fig. 60). Determine se existe a fáscia alar.

Em seguida, remova o atlas, cortando a *membrana atlanto-occipital anterior*, o *reto anterior da cabeça*, o *reto lateral da cabeça*,

Cabeça e Pescoço

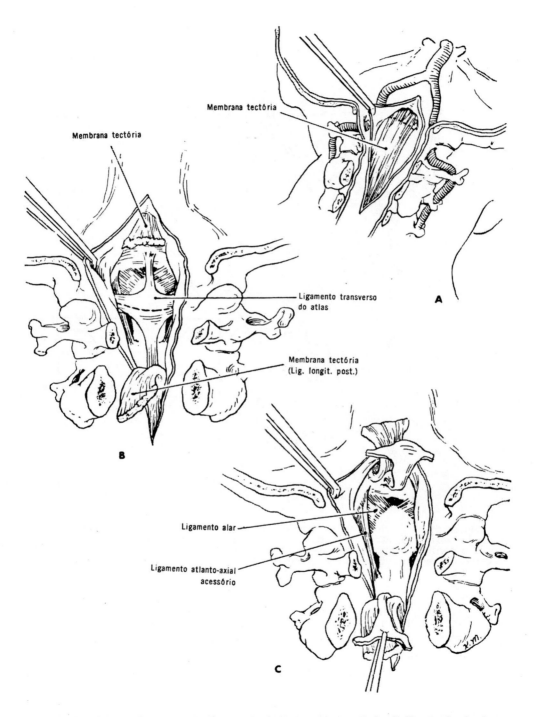

Figura 58. Desarticulação das articulações atlanto-axiais. *A*. Remoção da dura-máter espinhal e secção da membrana tectória ao longo da linha tracejada. *B*, Secção do ligamento transverso do atlas. *C*, Exposição dos ligamentos alar e atlanto-axial acessório.

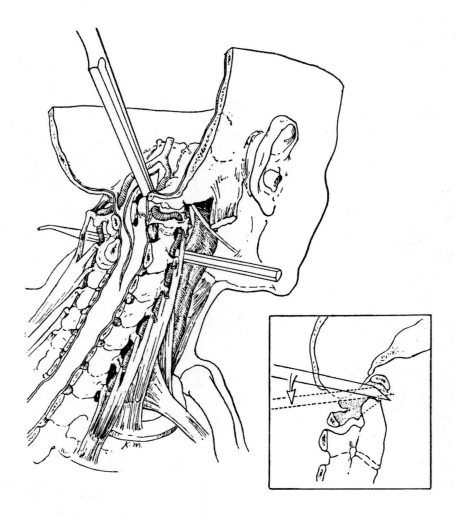

Figura 59. A colocação de um estilete na frente da coluna vertebral, no espaço prévertebral, atrás da faringe e dos grandes vasos. Um escôpro é mostrado entre o dente e o arco anterior do atlas. A seta na figura complementar mostra a colocação e o movimento do escôpro.

e a artéria vertebral. Corte, então, as cápsulas das *articulações atlanto--occipitais*. Para facilitar o corte destas cápsulas, use um escôpro para separar as superfícies articulares.

Faça a revisão dos plexos braquial e cervical e localize a *artéria vertebral* e o *plexo vertebral* entrando no forame transverso da 6ª V. C. Localize o *gânglio vertebral* e o *nervo vertebral*.

Note a fáscia bucofaríngica que cobre os *plexos venoso* e *nervoso faríngicos* e os músculos constritores da faringe. Pratique uma incisão exatamente mediana na parede posterior da faringe e do esôfago.

Cabeça e Pescoço

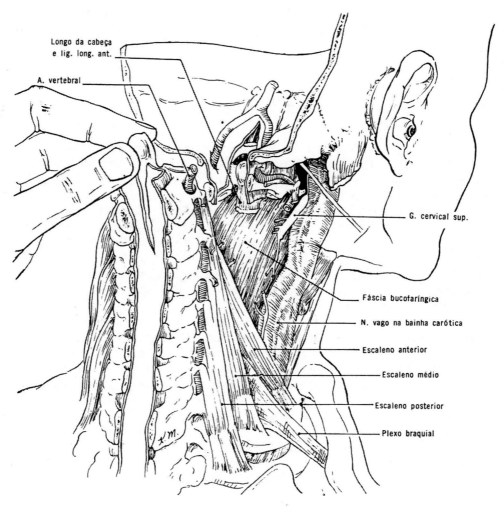

Figura 60. A coluna vertebral, os músculos prévertebrais e os plexos nervosos separados da cabeça e do restante do pescoço.

Identifique as *partes nasal, oral* e *laríngica da faringe* e, também, as coanas, a borda posterior do *septo nasal,* a *prega glosso-epiglótica mediana* e a *epiglote.* Faça outra incisão exatamente através da prega glosso-epiglótica mediana, da epiglote e da *laringe.* Prolongue a incisão mediana através dos *lábios,* da *língua,* do *nariz externo,* do mento e do *palato mole.* A seguir, com a serra, faça uma secção mediana na mandíbula, no crânio e no *palato duro,* desviando para um lado do septo nasal. É importante que as partes moles sejam cortadas no plano mediano.

A cabeça e o pescoço estão agora divididos no plano mediano, mas cada metade mantém, ainda, continuidade com o tórax e com o membro superior.

Serre as vértebras no plano mediano, desde o atlas até as vértebras lombares. Estude os *discos intervertebrais* de tôda a coluna vertebral.

TRÍGONOS SUBMANDIBULAR E CARÓTICO

15. Reveja as fixações da lâmina de revestimento da fáscia cervical. Disseque o *ligamento estilomandibular*. Incise a bainha fascial da *glândula submandibular* e levante a glândula tanto quanto fôr possível, dissecando e separando os vasos faciais (note os ramos para a glândula). Determine se o *ramo marginal da mandíbula do nervo facial* atravessa o trígono. Identifique a porção profunda da glândula e o *ducto submandibular,* que se situa profundamente ao *milo-hioídeo*. Disseque o *ventre anterior* do *digástrico* e do *milo-hioídeo* e localize o *nervo milo-hioídeo*. Note a expansão fascial do tendão intermédio do digástrico. Disseque o *estilo-hioídeo* e o ventre posterior do digástrico, notando sua relação recíproca.

Disseque a artéria carótida externa e os seguintes ramos: *tireoídeo superior, lingual, facial* (os dois últimos podem nascer dum *tronco linguofacial* comum), *auricular posterior, occipital* e *faríngico ascendente*. Observe a relação das artérias com o ventre posterior do digástrico. Disseque o nervo hipoglosso e note como êle forma um gancho ao redor da origem da artéria occipital. A artéria auricular posterior está logo acima do músculo estilo-hioídeo e se dirige ao processo mastóide. A artéria faríngica ascendente, geralmente, nasce perto da bifurcação da artéria carótida comum. Identifique a artéria carótida interna, o *glomus carótico*, o *seio carótico* e o *ramo do nervo glossofaríngico para o seio carótico*. Complete a dissecação da artéria cervical profunda.

16. Destaque da mandíbula o ventre anterior do digástrico. Destaque as fibras do milo-hioídeo que estão fixadas no hióide e levante o músculo de modo a completar a dissecação do nervo hipoglosso e do ducto submandibular. Localize o *nervo lingual*. Identifique o *gânglio submandibular* suspenso no nervo lingual e enviando ramos para a glândula. Note como o nervo lingual forma um gancho ao redor do ducto submandibular. Siga o ducto e o nervo até a língua e até o soalho da cavidade oral. Corte a mucosa do soalho, identifique a terminação do ducto e disseque os ramos do nervo lingual. Identifique a *glândula sublingual*. Puncione o ducto parotídico na bochecha. Introduza uma sonda no seu lume e localize seu óstio. Disseque o *músculo hioglosso*, o *estiloglosso* e o *genioglosso*, notando sua inervação proveniente do nervo hipoglosso. Note, também, o ramo para o *músculo tíreo-hioídeo*. Note a veia satélite do nervo hipoglosso. Corte o hioglosso logo acima do hióide e complete a dissecação da artéria lingual. Identifique e disseque as *veias linguais profundas.* Estude a língua, observando as *papilas,* o *forame cego* e a *tonsila lingual.* Faça uma transecção num lado da *língua* e determine os planos de seus músculos intrínsecos. Disseque o *músculo genio-hioídeo.*

Reveja as estruturas dos trígonos carótico e submandibular. Note suas relações com a cavidade oral e com a orofaringe bem como suas conexões e continuidade com as estruturas das regiões da face e parotídica.

FARINGE, LARINGE, VASOS E NERVOS DO PESCOÇO

17. Observe por trás que um *nervo carótico interno* se dirige para cima a partir do gânglio cervical superior do simpático ao longo da artéria carótida interna. Acompanhe a artéria carótida interna até o canal carótico e a veia jugular interna até o forame jugular. Localize o *gânglio inferior* do vago, siga o nervo até o forame jugular e procure o *gânglio superior.* Acompanhe superiormente o nervo laríngico superior, medialmente às artérias carótidas, até sua origem do nervo vago. A partir ou acima do nervo laríngico superior, os *ramos faríngicos* do vago se dirigem medialmente. Localize o nervo hipoglosso entre a veia jugular interna e a artéria carótida interna. Se possível, procure a porção crânica do acessório que se une ao vago. Procure o processo estilóide e note o estilo-hioídeo. Afaste medialmente a veia jugular interna e exponha o estilofaríngico. O nervo glossofaríngico será encontrado lateralmente a êste músculo, ao qual fornece um ramo. Acompanhe o nervo para cima, na frente dos nervos vago e acessório. Determine as estruturas que passam entre as carótidas interna e externa.

Remova a *fáscia bucofaríngica* da faringe e observe os plexos faríngicos. Ao dissecar o *constritor superior* da faringe, note sua borda superior livre, de cada lado do tubérculo faríngico (a borda livre dá origem à fáscia faringobasilar), a união do constritor superior com o bucinador na *rafe ptérigomandibular,* o *constritor médio* sobrepondo-se à parte inferior do constritor superior e o trajeto do nervo glossofaríngico e do músculo estilofaríngico entre os constritores superior e médio.

Ao dissecar os *constritores médio e inferior,* note a sobreposição do médio pelo inferior e a relação do inferior com o músculo cricotireoídeo. Siga o nervo laríngico interno e os *vasos laríngicos superiores* entre os dois constritores e através da *membrana tíreo-hioídea.* Localize o nervo laríngico recorrente e a *artéria laríngica inferior* abaixo da borda inferior do constritor inferior (parte cricofaríngica).

Examine a face medial da secção. Na *parte nasal da faringe,* note o *tórus tubal,* a *prega salpingofaríngica,* o *óstio faríngico* da *tuba auditiva,* a *tonsila faríngica* (se presente), o *recesso faríngico* e o *istmo faríngico*. Na *parte oral da faringe* note os *arcos palatoglosso* e *palatofaríngico*, a *úvula* e a *tonsila palatina* (se presente).

Corte a mucosa da prega salpingofaríngica e identifique o *salpingofaríngico*.

Incise e levante a mucosa do *seio (fossa) tonsilar*. Corte a mucosa das pregas e identifique os *músculos palatoglosso e palatofaríngico*, observando sua extensão. Remova a tonsila palatina e sua mucosa e identifique o 9º nervo dirigindo-se para a base da língua. Note os vasos tonsilares e identifique o músculo constritor superior, o *ligamento estilo-hióideo*, o estiloglosso e o constritor médio. Note a relação destas estruturas com o 9º nervo.

18. Estude um modêlo de laringe e aprenda as posições das várias cartilagens. A seguir, na parte laríngica da faringe, note a *epiglote*, os ápices das *cartilagens aritenóides* e a *prega ari-epiglótica* de cada lado. Note as pregas mucosas, a prega glosso-epiglótica mediana, no plano mediano e a *prega glosso-epiglótica lateral*, em cada lado, com duas pequenas depressões, as *valéculas*, entre as pregas. Note a *fossa piriforme* de cada lado. Corte a mucosa da fossa piriforme para expor o nervo laríngico interno. Remova a mucosa atrás do dorso da articulação cricotireóidea para expor o nervo laríngico recorrente. Remova a mucosa da face faríngica da laringe para expor os *músculos aritenóideos oblíquo e transverso*, cada um dos *crico-aritenóideos posteriores* e cada um dos *ari-epiglóticos*. Localize os *músculos crico-aritenóideo lateral* e *cricotireóideo* na face lateral da laringe e observe sua inervação. Identifique o *ligamento cricotireóideo* e a membrana tíreo-hióidea; note o nervo laríngico interno e os vasos laríngicos perfurando a membrana tíreohióidea. Identifique o ádito da laringe, a *rima da glote*, a *prega vestibular*, o *ventrículo* e a *prega vocal*. Remova o resto da mucosa e identifique as cartilagens tireóide, cricóide e aritenóides, o *ligamento vocal*, o *músculo tíreo-aritenóideo* e o *cone elástico*.

FOSSA INFRATEMPORAL

19. Disseque o *masseter*. Note suas inserções e rebata-o para o ramo da mandíbula. À medida que o rebate, note o *nervo massetérico*, atravessando a incisura da mandíbula. Corte êste nervo. Serre o arco zigomático, tanto quanto possível, para a frente e para trás. Disseque a *fáscia temporal*; faça uma pequena incisão horizontal na sua lâmina superficial e identifique sua lâmina profunda. Note as inserções das duas lâminas. Mobilize as bordas anterior e posterior do *músculo temporal* e liberte o músculo da fossa temporal. Remova a gordura encontrada anteriormente à inserção do temporal e procure o nervo bucal incluído na parte anterior da inserção dêste músculo. Localize os *nervos temporais profundos*. Corte os nervos temporais. Disseque o músculo bucinador, notando, de novo, sua inserção na rafe ptérigomandibular.

Passe um estilete profundamente ao colo da mandíbula, de trás para a frente, em contato com o osso, e abaixe o estilete até ser detido pela língula (fig. 61). Marque êste nível na face lateral da mandíbula (fig. 61) e, então, com um escôpro, corte o colo da mandíbula e, com uma serra, serre horizontalmente o ramo da mandíbula, logo acima da língula. Remova o osso com o músculo temporal nêle inserido.

Identifique o *músculo pterigoídeo lateral* e note o nervo bucal emergindo entre as duas porções do músculo. Localize a artéria maxilar medialmente ao colo da mandíbula e acompanhe-a para a frente, superficialmente ao músculo pterigoídeo lateral (fig. 62). Se a artéria passar profundamente ao músculo, espere para dissecá-la em tempo oportuno. Localize o *nervo alveolar inferior* com seu *nervo milo-hioídeo* e o nervo lingual abaixo da borda inferior do músculo pterigoídeo lateral. A *artéria* e o *nervo alveolar superior posterior* serão encontrados na parede

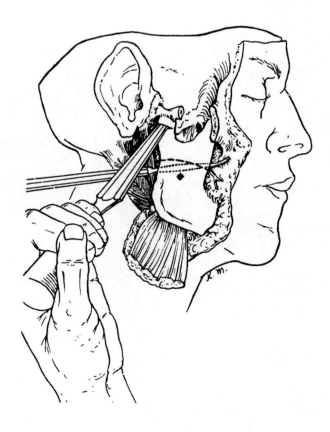

Figura 61. Exposição da fossa infratemporal. O asterísco indica a posição da língula da mandíbula. O escôpro está cortando a porção superior do colo da mandíbula.

anterior da fossa infratemporal. Disseque as duas porções do pterigoídeo lateral, da origem até a inserção, e localize o nervo que as supre. Por dissecação grosseira, liberte o músculo do teto da fossa infratemporal. Corte-o próximo à sua inserção no colo da mandíbula. Remova pouco e pouco o músculo, tendo o cuidado de preservar tôdas as artérias e os nervos. Disseque as artérias meníngica média e alveolar inferior. Uma fita fascial, o *ligamento esfenomandibular* (fig. 62), será encontrada separando a artéria e o nervo alveolar inferior do músculo pterigoídeo medial. Localize a *corda do tímpano,* unindo-se ao nervo lingual logo abaixo da base do crânio. Disseque o músculo pterigoídeo medial. Procure o nervo mandibular saindo pelo forame oval, a artéria meníngica média penetrando no forame espinhoso (a artéria é, muitas vêzes, abraçada pelas duas raízes do nervo auriculotemporal). Procure o *nervo pterigoídeo medial,* que nasce do contôrno medial do nervo mandibular, perto do forame oval. Procure o *gânglio ótico,* imediatamente abaixo do forame oval, ao nível ou perto da origem do nervo pterigoídeo medial. Determine se um *ramo meníngico acessório,* da artéria maxilar ou da meníngica média, está presente, subindo através do forame oval. Procure

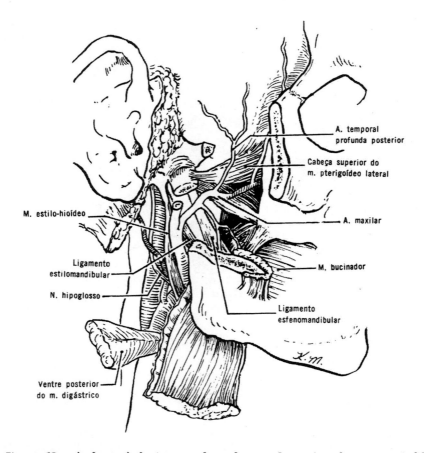

Figura 62. A fossa infratemporal e alguns elementos de seu conteúdo.

Cabeça e Pescoço

o *ramo meníngico* do nervo mandibular, acompanhando a artéria meníngica média através do forame espinhoso.

Disseque o *ligamento lateral* da articulação têmporomandibular. Incise-o horizontalmente e abra a articulação acima e abaixo do *disco articular*. Note que o tendão do pterigoídeo lateral está inserido na cápsula e no disco.

CAVIDADE NASAL, FOSSA PTÉRIGOPALATINA E PALATO MOLE

20 e 21. Disseque o *nervo nasopalatino* e os ramos septais da *artéria esfenopalatina*, dirigindo-se para baixo e para a frente num sulco do vômer até a fossa incisiva. Procure os ramos na face inferior do palato duro emergindo de canais. A seguir, remova o septo.

Na parede lateral de cada cavidade nasal identifique as conchas e os meatos superiores, médios e inferiores. Note se sua peça exibe concha e meato supremos. Observe o recesso esfeno-etmoidal acima e atrás da concha superior. O *átrio* está na frente da concha média, acima do *vestíbulo*. Rebata o mucoperiósteo para cima a fim de expor o ramo nasal externo do nervo etmoidal anterior.

Levante a mucosa da área entre o tórus tubal e o palato mole, atrás da concha média. Identifique o *tensor* e o *levantador do véu palatino* (o tensor é anterior e lateral ao levantador). Siga os tendões dêstes músculos no palato mole e note a relação do tensor com o hâmulo pterigoídeo. Verifique a inserção dos músculos palatoglosso e palatofaríngico no palato mole. Note a *úvula* e o *músculo da úvula*.

Sòmente à direita, resseque a concha inferior. Passe um fio de arame (um "clip" retificado) da órbita para o *saco lacrimal* e dirija-o para baixo no *ducto nasolacrimal*. Note o óstio do ducto no meato inferior. Resseque a concha média. Introduza um estilete flexível (excelente é o que pode ser retirado duma vassoura de piaçava) pelo *seio frontal* e note sua desembocadura no meato médio, ao nível da extremidade superior do *hiato semilunar*. Note a *bula etmoidal* acima do hiato. Observe, também, os orifícios para o *seio maxilar*. *Remova* a concha superior e procure algumas *células etmoidais posteriores* dos *seios etmoidais*. Procure o óstio do *seio esfenoidal* no *recesso esfeno-etmoidal*. Remova a parede medial do seio maxilar, em seguida, retire o mucoperiósteo da parede lateral de modo a dissecar as *artérias* e os *nervos alveolares superiores anterior* e *médio*. Observe a artéria e o nervo alveolar superior posterior.

Sòmente à esquerda, procure o forame palatino maior, introduzindo um estilete através da mucosa palatina próximo ao 3º molar superior (se presente) (fig. 63 A). Rebata lateralmente o mucoperiósteo de modo a expor os vasos e os nervos que se dirigem para a frente a partir do forame. Introduza para cima o estilete ou o fio de arame, através do canal palatino maior, na fossa ptérigopalatina, até o nível do forame esfenopalatino. Em seguida, com um estilete rígido ou um pinça, retire a parede óssea do canal para expor os vasos e os nervos palatinos (fig. 63C). Êstes podem ser seguidos superiormente até a fossa ptérigopalatina (fig. 63B). Examine o crânio para a localização desta fossa. O

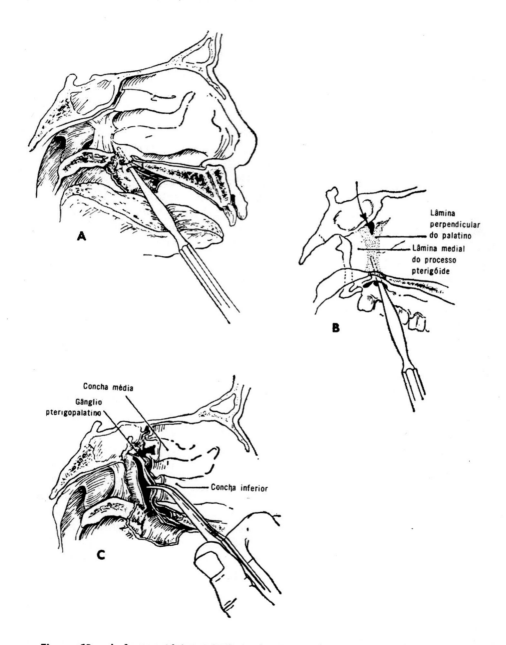

Figura 63. A fossa ptérigopalatina. *A*, Um estilete penetrando no forame palatino maior. *B*, Esquema para mostrar a parede medial da fossa ptérigopalatina. A seta aponta para o forame esfenopalatino e o estilete está no canal palatino maior. *C*, O forame e o canal abertos. A pinça está agarrando e afastando os nervos palatinos.

gânglio ptérigopalatino será localizado se o osso palatino fôr retirado, aos pedaços, logo atrás da concha superior. Parte do esfenóide pode ter que ser removida por fragmentação. O gânglio está suspenso no nervo maxilar na fossa e situa-se *lateralmente* ao esfenopalatino, cuja localização deve ser determinada num crânio sêco. Procure os ramos nasais e palatinos do gânglio e a artéria esfenopalatina até as conchas nasais e o palato duro. Identifique o *nervo do canal pterigóideo* penetrando no gânglio.

ÓRBITA E ÔLHO

22 e 23. Órbita Direita. Faça um orifício no teto da órbita e remova o osso do teto com pinça para expor a *peri-órbita*. Do mesmo modo, remova a parede medial para expor a peri-órbita. Faça um corte cruciforme (com tesoura) na peri-órbita do teto a fim de expor as estruturas da órbita. Note que a gordura e a fáscia da órbita envolvem o bulbo do ôlho e os músculos. Disseque o *músculo levantador da pálpebra superior*. O nervo acima dêle é o *nervo frontal*. Disseque o nervo supra-orbital e acompanhe-o anteriormente até seu forame ou sua incisura. Mais medialmente, localize a origem do *nervo supratroclear*. Disseque o *nervo lacrimal*, que está lateralmente ao nervo frontal e acompanhe-o anteriormente até a *glândula lacrimal*. Disseque o *nervo troclear* e siga-o até o oblíquo superior.

Corte o levantador na sua origem e rebata-o. Disseque o *reto superior* e corte-o na sua origem; rebata-o de modo a expor o *ramo superior* do nervo óculomotor. Acompanhe o *músculo oblíquo superior* para a frente até sua tróclea e, daí, ao bulbo do ôlho. Disseque o *reto medial* e disseque o *nervo nasociliar* entre êste músculo e o oblíquo superior. Acompanhe anteriormente o nervo e verifique o *nervo infratroclear* logo abaixo da tróclea do oblíquo superior e o *nervo etmoidal anterior* penetrando no forame etmoidal anterior. Siga posteriormente o nervo nasociliar e procure os *nervos ciliares longos* até o bulbo do ôlho. Ao acompanhar posteriormente o nervo nasociliar, através do nervo óptico, procure o *gânglio ciliar* lateralmente ao nervo óptico. Disseque os *nervos ciliares curtos*. Disseque a artéria oftálmica, que pode ser aqui localizada, cruzando o nervo óptico. Localize a *artéria central da retina* que penetra inferomedialmente no nervo óptico, logo atrás do bulbo do ôlho. Disseque os *músculos reto inferior e oblíquo inferior* e o *ramo inferior* do nervo óculomotor. Acompanhe o *nervo abducente* até o *reto lateral*, que deve ser dissecado. Faça um corte frontal no bulbo ocular, atrás do equador, e exponha por trás o *corpo ciliar*, a *lente* e a *zônula ciliar* bem como as túnicas do bulbo do ôlho e a *fáscia do bulbo*.

Órbita Esquerda. Remova a cútis da pálpebra superior. Retire a *parte palpebral* do *orbicular do ôlho*. Identifique o *tarso superior*, o *septo orbital*, os *ligamentos palpebrais lateral* e *medial*. Corte a conjuntiva do *limbo da córnea* e separe-a da *esclera*. Fixe a esclera com uma pinça e rode o bulbo de modo a identificar a *glândula lacrimal*, a tróclea do oblíquo superior, o *saco lacrimal* e a origem do oblíquo inferior. Corte os quatro *retos* perto de suas inserções no bulbo do ôlho. Em seguida, corte o *oblíquo superior* próximo à sua tróclea e o *oblíquo inferior* próximo à sua inserção. Com a tesoura curva, corte o nervo óptico e remova o bulbo ocular. Retire o corpo adiposo da órbita e identifique os músculos, vasos e nervos, particularmente o *nervo frontal* com seus *nervos supra-orbital e supratroclear* e o *nervo nasociliar*. Levante o reto inferior e localize a fissura orbital inferior e o *nervo maxilar*. Remova tanto osso quanto fôr necessário do soalho da órbita para seguir posteriormente o nervo até a fossa ptérigopalatina e localizar suas conexões com o gânglio ptérigopalatino.

A dissecação do bulbo do ôlho é facilitada pelo uso de bisturis e tesouras bem afiados. Identifique e remova a *fáscia do bulbo*. Remova a córnea, cortando a junção esclerocorneal. Remova com cuidado a *íris*, cortando sua borda periférica, expondo, assim, completamente a lente. Remova a *lente* e o *corpo vítreo*. Observe o *disco do nervo óptico*. Retire a *retina*, notando sua continuidade com o nervo óptico (a retina é, geralmente, destacada).

ORELHA

24 e 25. Estude os vários modelos de modo a aprender a disposição geral das *orelhas externa, média* e *interna*. Identifique as partes da *orelha* (pavilhão). A seguir, remova, cuidadosamente, o teto do tímpano, cuja localização deve ser determinada num crânio sêco, para expor a cavidade do tímpano e suas comunicações. Identifique os *ossículos* da orelha média, o tendão do *músculo tensor do tímpano*, a *membrana do tímpano* e a *corda do tímpano* em relação com a *membrana do tímpano* e com o manúbrio do martelo. Com um estilete flexível, explore as comunicações da cavidade do tímpano.

Estude a parede medial da cavidade do tímpano. Oriente-se por modelos e por ossos temporais dissecados. Identifique o promontório, que corresponde ao giro basal da *cóclea*, a *janela do vestíbulo* para a base do estribo, a parede do canal facial, a saliência do *canal semicircular lateral*, a *janela da cóclea* e o *tendão do estapédio*. Remova o osso, posteriormente, de modo a ampliar o ádito do antro e penetrar no *antro mastoídeo*. Retire com escôpro a parte superficial do processo mastóide e exponha as células mastoídeas. Partindo do *meato acústico interno*, retire com escôpro o teto do meato. Note os forames através dos quais o 8º nervo penetra na orelha interna. Continue a remover o osso a fim de expor o *genículo do nervo facial* com o *gânglio genicular* e a origem do *nervo petroso maior (superficial)*. Abra o canal facial na parede medial da cavidade do tímpano. Retire com escôpro a eminência arqueada para penetrar no *canal semicircular anterior*. Localize o *tensor do tímpano* e seu *semicanal*.

MEMBRO INFERIOR

VASOS E NERVOS SUPERFICIAIS

1. Retire a cútis do membro inferior incluindo o pé e os dedos (figs. 64 e 65). Disseque a *veia safena magna* e siga-a até o *hiato safeno*. Disseque suas tributárias e identifique as veias perfurantes diretas. Disseque as *artérias epigástrica superficial, circunflexa superficial do ílio* e as *pudendas externas*. Disseque a *veia safena parva* e siga-a até a fáscia da *fossa poplítea*, sem ultrapassá-la. Abra as veias safenas e observe suas válvulas. Localize os *linfonódios inguinais superficiais*.

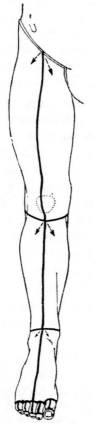

Figura 64. Linhas de incisão para a retirada da cútis do membro inferior, vista anterior.

Figura 65. Linhas de incisão para a retirada da cútis do membro inferior, vista posterior.

Disseque (ou complete a dissecação) dos seguintes nervos superficiais: *nervo cutâneo lateral da coxa, nervo cutâneo posterior da coxa, ramos cutâneos anteriores* do nervo femoral, *nervo safeno, nervo cutâneo medial da sura, nervo sural, ramos mediais do calcâneo* do nervo tibial, *ramos comunicantes* fibulares do nervo fibular comum e *nervo cutâneo lateral da sura*. Procure, também, o *ramo femoral* do nervo gênitofemoral.

FACE ANTERIOR DA COXA

2. Disseque as bordas do hiato safeno removendo a *fáscia crivosa*. Siga o *côrno superior* até o tubérculo púbico e o *côrno inferior* até a fáscia pectínea. Corte a *borda falciforme* transversalmente e exponha a *bainha femoral*. Por dissecação romba suspenda a bainha e seu conteúdo das fáscias do iliopsoas e do pectíneo. Siga a bainha superiormente, atrás do ligamento inguinal, até sua continuação com a fáscia ílica e com a fáscia transversal. Abra a bainha longitudinalmente ao longo da artéria femoral, da veia femoral e do canal femoral. Note a relação do ramo femoral do nervo gênitofemoral com a artéria. Procure um *linfonódio inguinal profundo* no canal femoral. Determine os limites e as relações do *ânulo femoral*. Observe se uma hernia femoral está presente.

Remova a tela subcutânea restante da coxa. Faça uma incisão vertical sôbre a patela para determinar se alguma bôlsa está presente. Remova a *fáscia lata* sôbre o *trígono femoral* e identifique os limites do trígono. Corte a fáscia sôbre o sulco entre o psoas e o ílico para expor o nervo femoral. Identifique o *arco (septo) iliopectíneo* que separa a *lacuna dos músculos* da *lacuna dos vasos*. Disseque, então, os ramos do *nervo femoral*. Disseque a *artéria* e a *veia femorais* dentro do trígono femoral. Disseque as origens dos ramos da artéria femoral no trígono. Remova tôdas as veias, exceto a veia femoral, disseque o soalho do trígono e siga os *músculos iliopsoas* e *pectíneo* até suas inserções.

Disseque o *sartório* e identifique a *bôlsa anserina*. Afaste o sartório, corte o teto fascial do *canal adutor* e complete a dissecação da artéria femoral, seguindo-a até o *hiato tendíneo*. Disseque a *artéria descendente do joelho* e complete a dissecação do nervo safeno e do nervo para o vasto medial.

Preserve o *tracto iliotibial* fazendo uma incisão na fáscia lata desde a crista ílica, na face anterior do tensor da fascia lata, até a margem lateral da patela. Remova a fáscia restante da face anterior da coxa medialmente à incisão. Corte a parte superior do tracto, anteriormente, e disseque o *tensor da fáscia lata*. Disseque a inserção do *glúteu máximo* no tracto iliotibial. Disseque o *vasto lateral* e o *septo intermuscular lateral*. Note a continuidade do tracto iliotibial com o septo. Disseque o *reto da coxa* e divida-o transversalmente ao meio. Rebata as meta-

Membro Inferior

des do músculo e disseque o *vasto medial* e o *vasto intermédio*. Pode ser necessário separar o vasto medial da inserção do adutor longo por dissecação delicada. Siga a *artéria circunflexa lateral do fêmur* profundamente ao sartório e ao reto da coxa.

REGIÃO MEDIAL DA COXA

3.   Disseque o *grácil* e observe, novamente, a bôlsa anserina. Complete a dissecação do *adutor longo*. Divida-o transversalmente ao meio. Divida da mesma maneira o pectíneo e disseque o *ramo anterior* do nervo obturatório sôbre o músculo adutor curto. Disseque então o *adutor curto*. Encontre o *ramo posterior* do nervo obturatório entre os adutores curto e magno. Siga, então, ambos os ramos para cima até o tronco comum no forame obturado. O ramo posterior atravessa uma porção do obturatório externo.

Ao dissecar os adutores curto e longo, disseque as *artérias perfurantes* da *artéria femoral profunda* e complete a dissecação da *artéria circunflexa medial do fêmur*.

REGIÃO POSTERIOR DA COXA

4.   Disseque os *músculos posteriores* (*do jarrete*) na coxa (não na fossa poplítea). Complete a dissecação do *adutor magno*. Disseque o *nervo isquiádico* e localize seus ramos terminais. Determine a inervação dos músculos posteriores da coxa. Disseque os ramos das artérias perfurantes para os músculos posteriores da coxa e siga, então, as artérias perfurantes através do septo intermuscular lateral para o vasto lateral. Rebata a *porção curta do bíceps* a partir da sua origem de modo a mostrar o septo, porém sem o cortar.

FOSSA POPLÍTEA

Siga o *nervo cutâneo medial da sura* até sua origem no nervo tibial, cortando a fáscia para fazê-lo. Localize o *nervo fibular comum* no dorso da cabeça da fíbula. Corte a fáscia, acompanhe o nervo para cima e siga o *nervo cutâneo lateral da sura* até sua origem no nervo fibular comum. Disseque o *nervo tibial*. Identifique os *músculos bíceps da coxa, semimembranáceo* e *semitendíneo*. Siga o músculo semitendíneo até sua inserção e note, novamente, a bôlsa anserina. Disseque os ventres do *gastrocnêmio*. Flexione a perna ligeiramente de modo a afastar êstes ventres e expor, assim, o *sóleo,* o *plantar* e o *poplíteo.* Disseque os nervos dêstes músculos e do gastrocnêmio. Disseque o *ramo interósseo* do nervo para o poplíteo. Abra a bainha espêssa que envolve os vasos poplíteos. Disseque êstes vasos e localize a terminação da veia safena parva. Disseque as *artérias do joelho.* Os ramos articulares do nervo tibial devem ser, também, encontrados. Determine se o ramo posterior do nervo obturatório desce à fossa poplítea.

REGIÃO ANTERIOR DA PERNA E DORSO DO PÉ

5. Disseque os nervos cutâneos do dorso do pé. Remova a tela subcutânea da perna e do dorso do pé. Disseque os *retináculos dos músculos extensores, fibulares* e *flexores.*

Disseque o *tibial anterior,* o *extensor longo dos dedos* e o *fibular terceiro.* Separe êstes músculos e localize e disseque o *extensor longo do halux.* Identifique as bainhas sinoviais dos tendões dêstes músculos em relação ao retináculo dos extensores. Disseque o *nervo fibular profundo* e a *artéria tibial anterior.* Disseque a rêde arterial no dorso do pé, observando, particularmente, a *artéria dorsal do pé,* a *primeira artéria metatársica dorsal* e o *ramo plantar profundo* da dorsal do pé. Disseque o *extensor curto dos dedos.* Siga os tendões extensores até suas inserções.

REGIÕES LATERAL E POSTERIOR DA PERNA

6. Localize os septos em cada lado do compartimento fibular. Corte a fáscia e disseque o *fibular longo* e o *fibular curto.* Siga seus tendões sob o retináculo dos fibulares. Localize suas bainhas sinoviais. Siga o *nervo fibular superficial* para cima até sua origem no nervo fibular comum.

Disseque o *tendão calcanear.* Corte ambos os ventres do músculo gastrocnêmio abaixo de suas origens. Separe a parte inferior dêsse músculo do sóleo subjacente, localize então o *plantar* e siga-o até sua inserção. Note o arco tendíneo do músculo sóleo sôbre os vasos poplíteos e o nervo tibial. Rebata o sóleo a partir de sua origem, deixando, se possível, seu arco tendíneo. Note a fáscia transversa profunda da perna entre o sóleo e os músculos mais profundos. Remova esta fáscia e disseque a *artéria tibial posterior* e o *nervo tibial* com seus subsidiários. Disseque em particular a *artéria fibular.* Disseque o *flexor longo dos dedos,* o *flexor longo do halux* e o *tibial posterior* e note suas bainhas sinoviais.

Membro Inferior

PLANTA DO PÉ

7. Remova a teia subcutânea da planta. É melhor raspá-la usando o cabo do bisturi ou a lâmina. Dêste modo disseque a *aponeurose plantar*. Disseque os vasos e nervos nos lados dos dedos do pé. Identifique os septos em cada lado da aponeurose. Disseque o *abdutor do halux* e o *abdutor do dedo mínimo*.

Corte, do calcâneo, a aponeurose plantar. Separe-a e rebata-a do *flexor curto dos dedos* subjacente. Disseque êste músculo e rebata-o a partir de sua origem. Isto expõe as *artérias e nervos plantares mediais e laterais,* o *músculo quadrado da planta,* os tendões do *flexor longo do halux* e do *flexor longo dos dedos* e os *lumbricais*. Corte o retináculo dos flexores sôbre o nervo tibial e a artéria tibial posterior para expor os compartimentos nos quais êles se situam. Note a origem das *artérias* e dos *nervos plantares laterais e mediais*. Siga os tendões flexores até as bainhas fibrosas dos dedos do pé. Abra as bainhas fibrosas e sinoviais e note as inserções dos tendões. Corte o tendão do flexor longo dos dedos logo proximalmente à sua divisão e rebata a porção distal. Divida o *quadrado da planta*. Uma fita para êste tendão proveniente do tendão do flexor longo do halux, situado mais profundamente, pode, também, ter que ser cortada. Complete a dissecação dos nervos plantares. Disseque o *arco plantar* e seus ramos. Disseque o *flexor curto do halux,* o *flexor curto do dedo mínimo,* o *adutor do halux* e os *interósseos*.

ARTICULAÇÕES SACRO-ÍLICA E DO QUADRIL

8. A menos que seja determinado de outro modo, use sòmente o membro direito para a dissecação das articulações. Remova os órgãos pelvinos seccionando seus vasos e nervos e destaque os músculos levantador do ânus e coccígico da parede da pelve. Complete a dissecação do obturatório interno. Disseque os ligamentos sacrospinhal e sacrotuberal e os limites dos forames isquiádicos maior e menor. Rebata o músculo ílico da fossa ílica. Disseque os *ligamentos iliolombar* e *sacro-ílico ventral*. Corte o ligamento sacro-ílico ventral ao longo da borda da asa do sacro (fig. 66) e, então, dirija-se para trás, ao longo da borda lateral do sacro. Em indivíduos idosos a ossificação parcial ou completa do ligamento sacro-ílico ventral pode impedir a desarticulação. Passe um bisturi ao longo da crista ílica e destaque os músculos e ligamentos nela fixados. Oriente a incisão para a espinha ílica póstero-superior. Corte os ligamentos sacrospinhal e sacrotuberal das suas inserções sacral e coccígica. Verificando, freqüentemente, no esqueleto, para orientar a direção correta do bisturi, corte os *ligamentos sacro-ílico dorsal* e *interósseo* e complete a desarticulação. Note a forma e as curvaturas das superfícies auriculares.

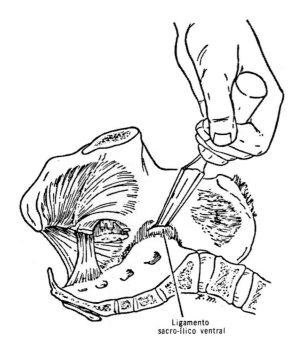

Figura 66. Cortando o ligamento sacro-ílico ventral antes de desarticulação.

Corte todos os vasos e nervos que descem do abdome e da pelve para o membro inferior. Corte o sartório da sua origem. Corte o ligamento inguinal sôbre o músculo iliopsoas. Por dissecação romba, afaste o íliopsoas da frente da articulação do quadril. Note se está presente uma bôlsa entre o tendão do psoas e a cápsula da articulação do quadril e, se estiver, se ela se comunica com a cavidade articular. Rebata o gluteu mínimo e o tensor da fáscia lata de suas origens. Corte o piriforme próximo à sua inserção. Corte o tendão do obturatório e os gêmeos. Note a bôlsa do tendão do obturatório na incisura isquiádica menor. Rebata os músculos posteriores da coxa, o adutor magno, o adutor curto e o grácil do osso do quadril. Complete a dissecação do obturatório externo e rebata-o, então, a partir de sua origem. Note a relação do seu tendão com o colo do fêmur. Disseque os *ligamentos íliofemoral, pubofemoral* e *isquiofemoral*. Corte o ligamento pubofemoral ao longo da borda do acetábulo. Localize o *ligamento da cabeça do fêmur* dentro da articulação e o coxim adiposo na fossa do acetábulo. Corte o ligamento, proceda à desarticulação e complete o corte na cápsula em tôrno da margem acetabular. Note a *zona orbicular,* o *lábio acetabular* e o *ligamento transverso* do *acetábulo.* Note os retináculos do colo do fêmur.

Membro Inferior

ARTICULAÇÃO DO JOELHO

Separe o vasto lateral do septo intermuscular lateral. Rebata o vasto lateral, o intermédio e o medial de suas origens. Identifique o *músculo articular do joelho* e a *bôlsa suprapatelar*. Abra-a e verifique sua extensão.

Siga para baixo a expansão do vasto medial para a patela, o *ligamento da patela* e a cápsula. Disseque o *ligamento colateral tibial*, situado mais profundamente. Procure uma bôlsa (ou bôlsas) em relação com o tendão do semimembranáceo e com a porção medial do gastrocnêmio. Siga o tendão do semimembranáceo lateralmente até o *ligamento poplíteo oblíquo* e, medialmente, profundamente ao ligamento colateral tibial. Disseque o *ligamento colateral fibular* em relação com o tendão do bíceps da coxa.

Divida o plantar e rebata-o para cima com as porções do gastrocnêmio até suas fixações femorais, expondo, assim, posteriormente a cápsula. Note se a fabela está presente na porção lateral do gastrocnêmio. Destaque o músculo poplíteo de sua inserção e rebata-o para cima.

Abra o *recesso subpoplíteo*, profundamente ao tendão do poplíteo, e note sua comunicação com a cavidade articular do joelho. Siga o tendão até sua inserção no dorso do *menisco lateral* e do fêmur, cortando, se necessário, o ligamento colateral fibular. Na articulação do joelho direito rebata, do fêmur, a porção posterior da cápsula e exponha os meniscos lateral e medial e os *ligamentos cruzados anterior* e *posterior*. Determine se os *ligamentos meniscofemorais anterior* e *posterior* estão presentes. Determine, também, se a cavidade da articulação tibiofibular se comunica com a do joelho ou com a do recesso subpoplíteo. Na articulação do joelho esquerdo faça uma incisão em ferradura em tôrno das bordas laterais e proximal da patela. Rebata para baixo a patela e o ligamento da patela. Estude o interior da articulação.

ARTICULAÇÕES DO TORNOZELO E DO PÉ

9. Corte os tendões do flexor longo do halux e do tibial posterior acima do tornozelo. Rebata de suas origens todos os músculos que cruzam a face anterior da articulação talocrural (do tornozelo). Rebata o extensor curto dos dedos, de sua origem, notando a relação da sua origem com o seio do tarso. Rebata de suas origens os fibulares longo e curto.

Desloque as estruturas que passam sob o retináculo dos flexores e disseque o *ligamento medial* (deltóide). Na face lateral, disseque os *ligamentos talofibulares anterior* e *posterior* e os *ligamentos calcâneofibulares*. Identifique os *ligamentos tibiofibulares anterior* e *posterior*. Note, logo abaixo dêste ligamento, as fibras transversais que se originam da fossa do maléolo lateral e aprofundam a cavidade para receber o tálus (o dorso do tálus articula-se com estas fibras durante a dorsiflexão). Corte os ligamentos tibiofibulares anterior e posterior e determine se a sindesmose está, ainda, unida por um ligamento interósseo. A cavidade da articulação talocrural pode se estender numa curta distância, para cima, entre a tíbia e a fíbula. Corte anteriormente a cápsula da articulação talocrural e corte os ligamentos laterais. A articulação está, assim, aberta e o ligamento medial pode ser observado pela sua face interna.

Identifique o *ligamento bifurcado*. Corte as inserções calcaneares do tronco do retináculo inferior dos extensores (neste processo pode-se cortar, também, o ligamento cervical). Na face lateral, corte a cápsula da articulação subtalar ao longo da linha da articulação. Corte a inserção navicular do ligamento bifurcado. Dorsalmente, corte a cápsula entre a tálus e o navicular. Inverta o pé, para alargar a porção lateral do canal do tarso. Corte quaisquer ligamentos e cápsulas restantes no canal e complete a inversão do pé. O calcâneo e o tálus podem, agora, ser deslocados, permanecendo unidos na face medial. Note as duas ou três superfícies articulares na face superior do calcâneo. Estude o canal do tarso e o seio do tarso. Note como o corpo do tálus se articula, em cima, com a tíbia e a fíbula (articulação talocrural) e, embaixo, com o calcâneo (articulação subtalar). Note como a cabeça do tálus se articula na escavação formada pelo calcâneo, pelo *ligamento calcâneonavicular plantar* e pelo navicular (articulação talocalcâneonavicular).

Abra dorsalmente a articulação calcâneocuboídea. Esta articulação e a talocalcâneonavicular formam a articulação transversa do tarso.

Abra dorsalmente as articulações cuneonavicular, intercuneiforme, cúneocuboídea e tarsometatársica. Confirme que estas são articulações sinoviais de tipo plano e que estão unidas por *cápsulas*, por *ligamentos plantares* e dorsais e algumas por *ligamentos interósseos*. Note especialmente o forte ligamento interósseo entre o cuneiforme medial e o 2º metatársico.

Na face plantar, disseque a bainha do fibular longo e confirme que alguns dos músculos intrínsecos do pé se originam dela. Abra a bainha, siga o tendão do fibular longo até sua inserção e determine se êle contém um osso sesamóide. Disseque o tendão do tibial posterior e determine se êle contém um osso sesamóide. Disseque o *ligamento plantar longo*, o *ligamento plantar curto* e o *ligamento calcâneonavicular plantar (mola)*.

Identifique o *ligamento plantar* da articulação metatarsofalângica do halux e note sua continuidade com a aponeurose plantar. Abra essa articulação por uma incisão longitudinal no ligamento plantar e determine a posição e as relações dos ossos sesamóides. Note que as cabeças dos metatársicos estão mantidas juntas pelo *ligamento metatársico transverso profundo,* o qual está em conexão com os ligamentos plantares. Determine a relação do **adutor** do halux (porção transversa) e dos tendões dos interósseos e dos lumbricais com êsse ligamento.